楚史传奇

北望长安系列丛书

司皓君
靳　宝　著

中国国际广播出版社

楚国始祖鬻熊

楚国漆豆

楚国蚁鼻钱

楚国虎座鸟架鼓

楚国舞俑

楚简

楚国镇墓兽

鬼谷子

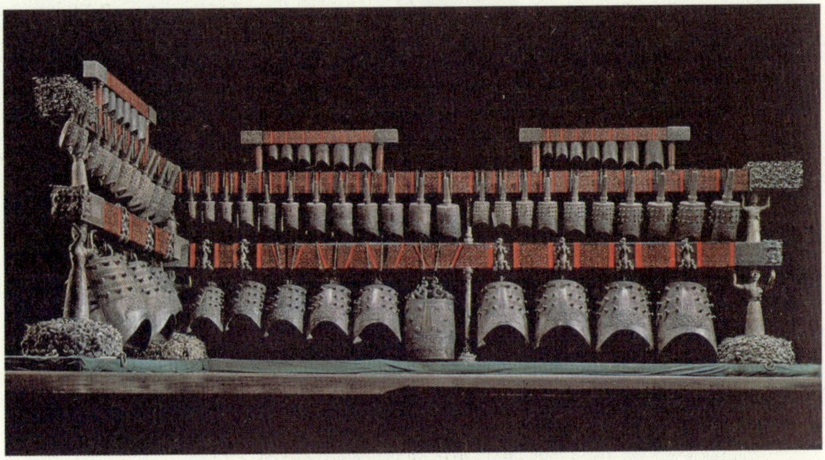

曾侯乙编钟

楚墓出土的云纹铜禁

屈原雕像

目 录

引 言

楚族是活动在我国江汉流域的一个古老部族，它是一个有着浪漫而瑰丽想象力的民族，一个酷爱凤鸟并随时准备乘凤飞去的民族，一个中国最早开始沉思生命并抬头问天的民族。

从公元前11世纪熊绎立国，到公元前3世纪西楚霸王项羽自刎乌江，楚国所缔造的不仅仅是一个远古中国的帝国神话，更多的是一部华夏文明发展的神采卷章。20世纪90年代之前，学术界盛行北方文化中心论和中原文化中心论的思想风气，在这种情况下，楚文化自然要被忽略或束之高阁，很少有人问津。随着大量考古成果的产生，楚文化的伟大和特色也被证实。季羡林先生曾提出，中国古史应当重写，缘由就在于“楚文化或者南方文化至少可以同中原文化并驾齐驱”。随后一些学者开始关注楚文化，研究楚文化，认识到楚文化不仅不比周文化逊色，而且可以与时代大致相当的希腊文化相竞辉。

“楚之先祖出自帝颛顼高阳”，这是伟大史学家司马迁给予楚国及楚文化的最高赞誉，极大地震慑了那些所谓“楚蛮”、“荆蛮”言者的冷漠和歧视，让楚国人找到了家，回到了家。这个家，就是华夏文明。为了寻求这条坎坷的回家之路，他们筚路蓝缕，常处草莽，付出了近千年的艰辛和酸苦。

“我蛮夷也，不与中国之号谥”，这是楚国国君的一次呐喊，一次不得已的彷徨下的呐喊，却喊出了楚国人不服输的立志精神，喊出了楚国人开拓创新的文化风格。经过百年发展，楚国由弱变强，逐步摆脱了周王朝的束缚，走上了独立发展的道路。

“我有敝甲，欲以观中国之政，请王室尊吾号”，这是楚国寻家的第一次投石问路，却失望而归，只好“王不加位，我自尊耳”。看来，只有发展才是硬道理，只有强大，才能自立、自尊。又一个百年，楚国演绎了一部辉煌的争霸史，一向被华夏视为蛮夷之邦的楚，以强有力的姿态跃上了华夏文明的政治舞台。

“天下之事尽在楚”，这是楚国君民的豪言和自信。几代楚君戎马倥偬，南征北战，敢于与中原强国晋国争霸。观兵周疆，问鼎轻重，这是中国历史上的一件大事，它标志着南国之楚已深入中原，深刻地影响着中国历史与文化的发展。又一个百年，楚国称霸中原，威播四方，其霸业进入了鼎盛时期。

“诸侯其畏我乎”，这一过分自信和自傲，造就了章华之宫的奢华侈靡。楚君好大喜功，又贪恋女色，重用佞臣，造成了贤才伍子胥“乞食于吴市”的一系列冤假错案。在亡族灭国的关头，楚国人民团结一致，保卫了先祖创建的胜利果实，留下了一桩桩动人的历史佳话和杀身成仁的英雄壮举。这一百余年，是楚国内外交困的漫长噩梦期，等待、混乱，让这一江汉雄国经受了一次次历史考验，历练了不寻常的毅力和意志。

“改纪其政，以定楚国”，这是楚国对“以史为鉴，可以知兴替”的最佳注解。“民族复兴”乃国家之大事，虽步履维艰，但必须坚持走下去。又一个百年，楚国君臣和广大国人总结得失，整顿朝政，东却吴，北抑晋，楚国又以大国、强国的姿态立于华夏之林，成为“战国七雄”之一。

“诸侯患之强”，这是楚国面对国外形势严峻、国内危机四伏的境况而进行变法改革的积极成果，楚国一扫过去被动挨打的局面，饮马黄河，有重振昔日称霸中原之气势。但历史并非尽人所愿，变法失败了，楚国国势日衰，强秦胜弱楚成了历史的必然。又一个百年，欲强而不强，楚国徘徊于一个带有坡度的十字路口，虽有希望，但终究会破灭。

“结齐抗秦”的犹豫，“绝齐亲秦”的倾侧，这样的政治抉择，让楚国国土大片沦丧，国力大为削弱。从此，楚国由盛而衰直至灭亡。历史是一面反光镜，这一百年的衰亡史，造就了一位伟大爱国诗人和政治革新者的诞生，他就是屈原。更值得我们深思的是，“楚虽三户，亡秦必楚”的帝国文化的孕育和诞生，亦是这历史的另一面。

第一章

潜伏：筚路蓝缕的创业历程

筚路蓝缕的艰苦创业精神，是楚国君王与国人在探寻回归华夏文明这一“大家庭”过程中形成的文化成果，正是这种精神成为楚国强盛的立国之本，也成为中华民族史上艰苦创业的典范。

一、正本清源，走向信史

楚国原来是有自己“国史”记录的，名叫《梼杌》。《梼杌》与《春秋》类似，记东周列国大事，而以楚国为中心，可惜它很早就亡佚了，只留下了这么一个古怪的书名。西晋时，出土了一批重要的竹简，其中有一篇记述楚事，可惜也已失传了。虽然20世纪以来出土了不少与楚有关的帛书和竹简，但对楚建国之前的历史文化则少有提及。因此，后世对楚族源流和楚文化产生等早期历史的了解，只能借助一些诸如《世本》等为数甚少的古史典籍，而且，这些仅存的零星记录，也多充斥着神话和传说。正如楚史研究专家张正明先生所言：“古老的中国有一堆庞杂的神话和传说，楚史的起点就在神话和传说的时代之中。这些神话和传说介乎有序与无序之间，最易使人发‘剪不断，理还乱’之叹。想要从中察访楚人先民的踪影，恰如在迷宫中寻出路来那么麻烦。好在这不是索然无味的苦差，我们将走到豁然开朗的洞天。”学者们的认真梳理和考古发现，还是多多少少为我们展示了这些神话与传说的重重迷影。

远古的荆楚大地气候温暖，植被茂密，适宜于早期的人类生息。越来越多的考古发现告诉我们，包括荆楚大地在内的长江流域，亦如黄河流域一样，是中华民族和中华文化的摇篮。

商朝是目前我国最早有文字可考的朝代。人们把当时刻在龟甲和兽骨上的文字，称为“甲骨文”。考古学家和语言学家就从大量的甲骨文中发现了“荆”、“楚”二字。

据《说文解字》讲，“荆”、“楚”的本义是一种植物的两个名称。这种植物在商代及其以前，遍布于南方诸多角落。远古时，不少氏族部落以居住环境的特征作为自己氏族的名称。这样，居住在盛产荆楚的黄河中下游两岸的部族往往以这种荆楚作为本部族名称。最初，这并非后世文献记载的楚族或楚国，而是泛指一切密布在荆楚丛林中的方国和氏族。直到春秋战国时期，“荆”、“楚”才逐渐成为楚族及楚国的专有代称。

南方楚国是春秋战国时期疆域最广、文化最具特色、民族最多的一个诸侯国。建国长达八百余年的楚族是怎样诞生的？其先祖又是谁？寻找这一历史答案，还要从火谈起。

火的发明和使用，对于人类而言，意义非凡。恩格斯在说到火的价值时，认为它“就其解放人类的意义来说，远高于蒸汽机的发明”。通过漫长的人类蒙昧时代的发展，每个原始氏族部落都会确定一位年老而有经验的首领掌管火种。这个火种被视作神圣的赐予，起初被保存在台上，由专人看守，不断添柴，保持常年不熄。这个管理火种的老者，后被称之为“火正”。具体来说，火正就是原始部落里观测大火星，为部落制定播种农时的人。远古时期，每个部落都有自己的火正。传说时代的火正，降至商代称“师火”，及至周代称“火师”。

火正的职责主要有三项：一是观象授时，二是点火烧荒，三是守燎祭天。

火正所管的火，主要有两种：一是天上的火，一是地上的火。远古时代刀耕火种，人们何时耕种、何时收获，一般只能凭物候的变化来识别，而火正则通过天象观测来指导农时。火正管的所谓天火有二，即大火和鹑火，实指两颗恒星。大火，西方名叫天蝎座，它有与众不同的鲜红颜色，非常容易辨认。鹑火，西方名叫长蛇座。

上古观象，通常是在天刚黑的时候进行。被观测的大火，恰好黄昏时从东方升起叫“昏见”，也即后世所谓的春分时节，于是火正宣布，放火烧荒，并隆重祭祀，这样新一年的春耕生产开始了。于是，氏族部落们赶紧把保存了一冬的火种引到野外，进行烧荒，这叫“出火”。一年的农事始于烧荒，人们为劳作而紧张，因憧憬而激动，把烧荒当作丰收的前奏，要举行欢快而隆重的仪式。当被观测的大火恰好黄昏时在西方落下则称“昏伏”，这时火正就收起火种，再一次进行隆重祭祀，这叫“内火”。后来，由于岁差，大火昏见的日期渐渐推迟。于是，火正为了不误农时，由观测大火昏见改为观测鹑火南中了，即黄昏时鹑火恰好在南方正中。这时同样是出火烧荒，隆重祭祀，开始农耕生产。这就是中国最早历法“以火纪时”的产生，并在此基础上进一步推算出年、月的大致天数。后来，火正的观象授时更加进步，他们能确定春、夏、秋、冬四季，观测星象也由大火、鹑火发展为四仲中星，即鸟、火、虚、昴。鸟星，西方名为长蛇座；火星，西方名为天蝎座；虚星，西方名为宝瓶座；昴星，西方名为金牛座。这样，他们能观测更多天象，对人们生活生产的意义更加重要。当然，如果火正玩忽职守，就会对社会造成一定的危害。《左传·昭公十七年》记录了夏代的一次日食。当时，乐师敲鼓，其用意似与后世击响器驱天狗以救太阳相同。官员慌乱，民众惊恐。这是我国最早的一则日食记录。有传说认为，这次日食造成的慌乱，全是源于火正饮酒误事，忘记发布日食预报了。

所谓守燎祭天，就是把祭天供品放在柴堆上，然后把柴堆点燃，让肉的焦香随着烟气飘向天空，天帝闻到香气，就算是接受献祭了。火正的任务就是布置、点燃和守护祭天的柴堆。

古史神话传说中最早的火正，可追溯到炎帝。《左传·昭公十七年》载曰：“炎帝氏以火纪，故为火师而火名。”炎、黄二帝，是中华民族强大凝聚力和向心力的体现。他们作为上古神话传说中的神格化人或人格化神，被视为中华民族的共祖。神话和传说也是不断被演绎的，有分有合。起初，神农氏与炎帝毫不相干，轩辕氏与黄帝也无关系。相传，炎帝的功绩主要是首创种植业。这样，神农氏就与炎帝合为一体了。农业耕种又与火种有关，炎帝又被尊为火神。周人说炎、黄二帝都生在关中，炎帝为姜姓，黄帝为姬姓。到战国时期，随着五行学说的流行，黄帝被定位于北方，炎帝被定位于南方。湖北的谷城县，相传是炎帝神农氏试种五谷的地方；湖北的神农架，相传是炎帝神农氏品尝药草的地方。这也说明，楚与炎帝是有渊源关系的。长沙子弹库《楚帛书》记有“炎帝乃命祝融以四神降”，《吕氏春秋·孟夏》亦载：“其帝炎帝，其神祝融。”

上古时期影响最大的火正，要数重黎了。据《史记·楚世家》记载，黄帝的孙子叫高阳，也称颛顼，生了一个叫称的儿子，称长大后婚娶又生了叫卷章的人，即《包山楚简》中所言的老僮，老僮生重黎。因重黎是火正，有功于天下，于是首领帝喾任命其做了祝融。后因平叛一个叫共工的氏族不力，而被诛杀。庆幸的是，当时还没有所谓的“连坐”制度。帝喾亲自出征灭了共工氏，班师回朝后又任命重黎的弟弟吴回接替他哥哥的职位，继续做火正，仍为祝融。

又说，黄帝、炎帝是兄弟俩，最初活动于渭水流域和陕北一带，后相继进入中原地区，并与东之“东夷”、南之“苗蛮”集团或杂居相处，共同开发，或激烈争夺，先后战胜了诸多氏族部落，后黄帝又兼并了炎帝集团，一统中原。黄帝有二子：玄嚣与昌意，或说有二十五子。昌意娶蜀山氏之女，生颛顼，也称高阳。颛顼年幼时，曾在少皞氏族内被养育。少皞氏是东夷集团的一个大族，活动中心在今山东曲阜一带。由于颛顼是黄帝之后，亦由西而中、而东、而南，与东夷及周围氏族部落融合步伐加快，所以许多氏族部落均称为颛顼之后。见于史料记载的有虞氏、夏后氏、祝融八姓，乃至匈奴、苗民都说自己是颛顼的后裔。颛顼也就成为另一个中华民族祖先的象征。

颛顼与高阳原不相干，屈原在《离骚》中曾自豪地叙述其家世：“帝高阳之苗裔兮。”只是到了西汉，高阳才与颛顼合流，司马迁所谓“楚之先祖出自帝颛顼高阳”就是一明证。班固更称高阳、颛顼为“高顼”。

中国的民族是多元的，他们的神话和传说自然也是多元的。民族是在发展的，是会变化的，与此相适应，神话和传说也在发展，也会变化。民族的融合，国家的兼并，以及正统观念的形成，促使来源各异的诸多古帝被纵向整合，本来没有从属关系的有了从属关系，本来没有裔嗣关系的有了裔嗣关系，全不顾资历的深浅和神通的大小，总是强者为尊，后来居上。民族的流徙，国家的播迁，以及五行与五方、五色相配的学说的确立，促使先已整合的诸多古帝又被横向地改组，易位者有之，变姓者有之，升者、沉者亦有之。现在我们所能看到的中国古代的神谱，就是这么一个几经整合、改组的“杂拌儿”。马克思论古代的希腊，曾说道“真正的氏族”来源于神话中的“幻想的系谱”。古代的中国也是这样。

楚人后世把祝融与鬻熊都当作奉祀对象，对其有着非常深厚的敬仰之情，二者也成了激励他们奋进的强大动力。《左传·僖公二十六年》记载，有一次楚国的一个封君夔子没有祭祀祝融和鬻熊，楚王非常恼火，兴师问罪，把夔子废黜并杀死了。虽然楚竹简也明确记录其先祖老僮，但可能因老僮没有值得后人颂扬的丰功伟绩，辈分虽比祝融高，名声却比祝融小，因而未能成为楚人奉祀的始祖。

祝融是火正的尊称，在地是火正，在天若火神，是通天达地、造福人类的圣人。远古时期，每个部落都有自己的火正，叫祝融的也不只是一人。它与古史传说的祝融氏部落，不能混为一谈。因此，我们不能简单说楚先祖是祝融。

重黎、吴回都是火正，亦被尊称为祝融。吴回生子，即陆终。陆终实际上也可称为祝融。他当年英俊年少，先后与西部羌人鬼方部落的六个（一说八个）女子相爱，生养了六个（一说八个）儿子。鬼方是当时西方羌人集团中最强大的一个民族。有的书中说是陆终生了一个六胞胎，显然这与不同的姓不相适应，是不可信的。

相传，陆终的儿子们都是“坼剖而产”的。所谓“坼剖而产”，意即从母亲的胸前、背后、腋下等非生殖器官的部位产出。这类离奇的故事并不罕见。夏契不就是从其母亲简狄的胸前出生的吗？夏禹也是从其母亲修已的背后出生的。类似的传说，在某些其他民族中也有。如希腊人，他们以为宙斯虽是男性，但也会坼剖而产。雅典人的保护神雅典娜，据说是在宙斯的头颅里发育成长的，后由宙斯之子用斧头把宙斯的头颅劈开，雅典娜才从中蹦了出来，刚出世就是一位戎装的女郎。

陆终最小的儿子叫季连，以芈（读mǐ）为姓。按《说文解字》，芈，羊鸣也，从羊象声。或许母系鬼方氏为羌人，以牧羊为主要生计。后来，季连生附沮，附沮生穴熊。“熊”字第一次在楚族先人的名中出现了。这说明，此时季连一支不仅有了姓，而且以父名为氏，称有熊氏了。远古时期，中国人的姓氏是父氏母姓。具体说，姓是母亲氏族血统的印证，氏则是父亲氏族居住环境的标志或父名的延称。如此看来，楚族的先人们很可能曾经居住在棕熊出没、古木丛生的地方。也有人认为，熊，应与缩酒有关，是以职为氏。

季连生活的时代，或为夏代，或为商代，无从考证。鬼方始见于商代，而陆终与鬼方通婚，则季连在商代的可能性较大。今湖北的宜城、江陵两县，都还有一个名叫季连的村庄。或许，这是楚人后裔对楚先祖的一种文化记忆吧。

楚族出自颛顼之后，这是就族源而言，楚族之直系祖先则应是季连。

在随后的氏族部落争斗和迁徙中，陆终部落集团受到强国大族的挤压，渐渐分崩离析。有的仍留在中原苦苦挣扎，有的跑到南方寻找栖身之所。这就是司马迁所言的“或在中国，或在夷狄”。这逃亡南方的，在历史的长河中便发展成为后来令世人瞩目的楚国。

《汉书·地理志》讲楚人信巫鬼、重淫祀。这与其始祖有密切关系。

可以说，楚族与火结下了不解之缘。楚人普遍敬畏日神，这与他们和炎帝的渊源有关。他们认为那个给人类带来无限光明与温暖的太阳就是炎帝的化身，而自己的始祖祝融正是炎帝的佐臣，对日神的敬畏与崇拜自然是情理之中的了。楚人把日神叫东君，有时甚至称为炎帝，并且据此而认为东方是最高贵的方向，楚人死了之后，埋入坟墓，头总要朝着东方，这便是今天我们发掘的楚墓都是东向的原因所在。

除了拜日外，楚人又格外敬雷神。出土的楚帛书就对此有所记载。火正祝融，既是火神，又是雷神。吴回的“回”是“雷”字的简体，吴回亦即雷神。

江陵天星观1号墓出土的竹简记录“云君”，有人释为云神。但云神在中国是很晚才出现的，在世界其他地方的神话中也殊为罕见。有人以云中君为雷神。今湖北南漳巫师在作法招魂的唱词中就云：“雷公闪将云中坐”。

雷神使天界之火化为地界之火，因而他的地位与日神接近。普天之下，相信有雷神的民族多得难以数计，但把雷神视为亲己之神的民族为数不多，而把雷神奉为主神的民族更是屈指可数。

罗马人的雷神丘比特是至尊的天神，兼为农神和战神。可是它同罗马人没有亲缘关系。希腊人的雷神宙斯也是至尊之神，而且同某些希腊人有亲缘关系。希腊的一些名门望族相信自己的先祖是宙斯与民女私通而出生的，引以为荣。

楚人的雷神虽是次尊之神，位在日神炎帝之下，但他被楚人奉为家祭毋忘的始祖，就亲缘关系来说是整个民族的至尊之神。

从自然界循环来看，雷是生命力的象征。早春时节，雷始发声，卉木维新；晚秋时节，雷乃收声，草木黄落。从早春到晚秋，是雷活跃的时期，也是生命力旺盛的时期。这雷，似乎可怕，其实非常可爱可敬。楚人的始祖被尊为雷神，是因为他们对中原农业文化的发展作出了令后人难以忘怀的贡献。

祝融之始，他由火神升格为雷神，祝融之终，他却由火神降格为灶神了。汉代，不但祝融沦为灶神，连他的上司炎帝也一起被贬为灶神了。

图腾崇拜是一种原始的宗教信仰方式，同时也是一种原始的文化现象。关于楚人的图腾崇拜，有多种说法。一说楚人出自黄帝，黄帝是以熊为图腾，故楚也以熊为图腾，而且这与其称有熊氏是相宜的。另一说是楚先祖季连的母亲是羌人，他也随母芈姓，既然羌族是以羊为图腾，那么楚亦当以羊为图腾。甚至还有人提出，楚人后来以荆楚为族名兼国号，可能曾以荆楚为图腾。更多人认同的是，楚人尊龙崇凤现象突出，故以龙或凤为图腾。在出土的楚文物中，几乎随处可看到绘饰精美、各具形态而又栩栩如生的凤凰图案。楚人尊龙，有关古文献记载颇多。著名的成语故事“叶公好龙”或许是这方面的文化衍生。

之所以出现多种说法，究其原因，一是楚人出自黄帝、颛顼集团这一庞大的血缘群体，其内部各氏族部落的图腾和图腾崇拜必然是多种的，影响到楚人的图腾崇拜也当然很难划一；二是楚之先祖南徙后，随着地理环境的变迁和新的氏族或民族的融合，图腾崇拜也就会进一步多样化，形成楚图腾崇拜文化的丰富内容。

楚人的先民总是依附于强国大族，他们寄人篱下，实为不得已。他们处在强国大族的夹缝之中，只好以弱事强，以小事大。贬之者可以说他们朝秦暮楚，褒之者可以说他们弃无道而就有道。在那样险恶的环境中，民族的生存和发展是道义的基本准则。

楚人先祖的头脑常常是狂热而偏执的，他们简单而朴素的生活笼罩在神秘乃至怪诞的气氛之中，然而，原始的理性必然采取神秘乃至怪诞的形式，知识即在其中，科学即在其中，文明的曙光即在其中。

楚文化的主源可推到祝融，楚文化的干流是华夏文化，楚文化的支流是蛮夷文化，三者交汇合流，就成为楚文化了。楚人及其先民依附于比他们强大而且进步的华夏及其先民，自然会吸收后者的文化因素，但楚文化毕竟有介于华夏文化与蛮夷文化之间的主源，即祝融部落集团崇火尊凤的原始农业文化，它左右着楚文化的发展方向，如果没有这个主源，江汉地区要么华夏化，要么蛮夷化，不会生出一个楚文化来。

司马迁对于楚先祖历史的记录依然带有神话的韵味，但厘清这一具体历史事实并不是他写作的真正目的，他想要传递的是“楚之先祖出自帝颛顼高阳”所蕴涵的文化认同观念及其意义。这是从文献记述角度来接受和肯定楚人千年的文化寻根之旅及其梦想，某种程度上肯定了楚文化在中华文化中的重要地位和价值。这是司马迁的高明和伟大之处。过去的楚人要感谢司马迁，今天传承和借用楚文化发展经济的地区和人民，更要感谢司马迁。司马迁为楚文化真正做了一次正本清源的工作。

二、筚路蓝缕，以处草莽

楚在文献意义上走入信史，则是从商末周初开始的。《史记·楚世家》载：“周文王之时，季连之苗裔曰鬻熊。”荆门包山 2 号墓出土的竹简记楚君先祖之名，就提到了鬻熊。楚人的信史时代，是从这位鬻熊开始的。

关于鬻熊的事迹，文献所记只有三言两语，后世乃莫知其详。他被誉为贤者，大概颇有见识，在族群中威望很高。他的事业创始于商朝末年。

商末最后一个君主是商纣王，史书记载说其暴戾无道，杀贤罢能，好色淫奢，天下一片混乱，民众苦不堪言，希望能有一个伟大的贤能之人来推翻他，建立新的王朝。而商王朝统治下的西部，有一个周氏的部落集团，其君主为西伯昌，即后来的周文王。周族所在的渭水流域，土地肥沃，水源充足，人口兴旺，五谷丰登，礼义融融，西伯是商纣王封予周族首领的尊称。封伯后，西伯昌更加礼贤下士，积极发展生产，于是，一大批贤能人士陆续投靠西伯昌。如著名的姜太公，又名姜子牙，西伯昌拜其为师，尊称尚父，又称太公。“姜太公钓鱼，愿者上钩”的典故即源于此。其他名流如鬻熊等人也参加了这支日益壮大的人才队伍。

据有关文献记载，当时已 75 岁高龄的鬻熊，多次劝诫商纣王要以民为本，推行惠民政策，停止盘剥老百姓，但纣王根本听不进去。于是，鬻熊为了楚族百姓的出路和发展，毅然决然地作出一个历史性抉择，即前往投靠西部兴起来的周族首领周文王。周文王的重要大臣召公热情接见了他，与他一谈，觉得他是个难得的人才，于是赶往周文王住处，向其推荐了鬻熊。周文王知道，眼下正是用人之时，连夜召见了鬻熊，任命其为公卿。据载，周文王当时见到鬻熊精神抖擞、气宇轩昂，惊叹地说：“您老人家这么大年纪，精神依然矍铄，钦佩钦佩。”鬻熊哈哈大笑，答道：“我怎么能称老了，您要是让我去丛林中捕捉虎豹，追赶麋鹿，那也许我真的老了，您要是请我分析天下大事，那我或许还很年轻。”鬻熊的这一番“似老又不老”的哲理言辞，使得周文王更加敬佩这位南方来的部落首领，并且拜其为师。这是楚国后世引以为豪的一大资本。楚武王曾自豪地说：“吾先鬻熊，文王之师也。”

关于这个“师”，有的人认为是指老师，也有人提出不同意见，认为指军队之长、军队之帅。还有人说，这个师是指火师。《史记·楚世家》的记载是这样的：“熊绎当周成王时，举文、武勤劳之后嗣，而封熊绎于楚蛮。”这里提及的“文、武勤劳之后嗣”，说明鬻熊当时既在治国谋略上辅佐周文王，同时还在军事行动上为周文王承担指导职责和实战指挥。至于火师的说法，恐怕不符合事实。

鬻熊在其族内，很可能就是一位火正，也即先祖祝融一类。说其通晓法术，是一位有宗教声望的大巫，也是有道理的。还有人以为鬻熊是一位大学者，与道家有渊源关系，这是从《汉书·艺文志》记载的道家作品之一《鬻子》而来的。《鬻子》，班固著录有二十二卷，全书已佚，原貌不可复睹。今传《鬻子》仅两卷，是清代叶德辉校辑本。《鬻子》的内容是鬻熊答周文王和周武王。这估计是战国时代的伪作。因为鬻熊不可能活在周武王时代。《史记·楚世家》两次说到鬻熊死得很早，一说是“蚤卒”，一说是“蚤终”，总之没有享尽天年。据《尚书·牧誓》记载，周武王伐殷纣王时，与周联军的，并没有楚人。鬻熊已不见踪影。

鬻熊跟随周文王，可谓兢兢业业，任劳任怨。有一次，殷纣王为了打压周文王的“嚣张气焰”，心生一计，派人请周文王来都城商量国事。周文王明知道殷纣王不怀好意，但为了大局，只身前往。他一到就被殷纣王关起来了。这可急坏了周文王的一批谋臣。他们设法实施营救。鬻熊就是谋划营救者之一。通过宝物美女的贿赂，周文王被释放出来。鬻熊也被认为是周氏族部落的有功之臣。

鬻熊使他的部众在艰难之中获得了生机，为楚国的建成谱写了序曲。他背弃丧失人心的殷纣王，亲附深孚众望的周文王，善于因时乘势，是一位有政治头脑的酋长。虽非开国始封之君，却是肇业奠基之主，在楚君奉祀的列祖列宗之间，鬻熊的地位仅亚于祝融。

不幸的是，鬻熊及西伯昌不久就去世了。周族由西伯昌的儿子周武王继位当政，继续率领所属部落集团讨伐商纣王，著名的牧野之战就这样发生了。不过，奇怪的是，这么重大的征伐活动，竟没有楚人加入，似乎周、楚父辈建立的良好关系开始蒙上了一层阴影。

鬻熊死后，其子熊丽继位。目前史籍有关熊丽的事迹，仅有《墨子·非攻》载曰：“昔者，楚熊丽始讨此睢山之间。”睢山，后世称祖山，今称主山，在湖北南漳西北部。从鬻熊所居的丹阳到熊丽所讨的睢山，意味着从比较富饶的地方到比较贫瘠的地方。熊丽不顾旧乡故居之恋，不辞跋山涉水之苦，率部南走，若非势不得已，实难出此一举。这或许说明周、楚之间确实发生了不愉快的事，同时也透露出像楚这样僻居于南方蛮夷之地的小部族，不可能真正受到周氏族首领的认可和重视。

牧野之战，周武王推翻了商朝，大加分封诸侯。姜太公功劳最大，封在营丘（今山东淄博市），国号齐；封同姓召公奭的儿子于燕（今北京一带），其余重要亲属都给予了分封。在这次大分封中，楚族并没有得到什么，这或许是周武王没有让楚参加牧野之战的一个内在原因吧，有点故意疏远的味道。

经过这样的事情后，楚族首领深深认识到，要想强大，让人看得起，回到原来那个家，即迁徙南方之前的中原地带，享受中原文明的尊崇和高尚，就得自力更生，艰苦奋斗。于是，知趣的熊丽统率部族，主动退避，又继续举部南迁，渡过汉水，来到睢山。在这个易守难攻的大山深处，楚人决定暂时定居下来，抓紧开辟新的发展空间。

熊丽去世后，其子熊狂继位。熊狂去世后，其子熊绎继位。熊绎是楚国历史上继鬻熊之后的又一位重要的首领。就在楚族苦心经营、安分守己生活的时候，偶然的机缘让周楚关系得以复苏和加强。

历史上有这样一个故事：周武王虽进行了影响深远的牧野之战，推翻了商朝，建立了西周，但两年之后他就去世了。继位的是仅有十一二岁的孩子，即周成王。周武王临终嘱咐其弟弟周公旦辅佐年幼的成王，以免丧失刚刚取得的胜利果实。因周成王年幼，每次上朝，都是由其叔父周公旦背着见群臣。有一次，成王病重，周公心急如焚，没有更好的办法，只能祈祷圣灵保佑了，于是他剪下自己的指甲扔进河里，向河神祷告说："大王还不懂事，现在是我带领周族统领天下，假如周朝有罪，请求神灵惩罚我吧！"当时身旁的史官为周公的话感动，把这事刻在甲骨上，收进保存档案资料的"记府"。没过多久，成王的病奇迹般地好了。待成王长大执政时，有人进谗言说周公一直心怀不轨，图谋叛乱夺权，请大王提防小心。成王一听，这还了得，想要惩治周公。周公得知消息后，知道成王是受奸臣蛊惑，而且一时也难以澄清事实，无奈之下逃离周都，竟跑到楚人那里了。

楚首领熊绎热情接待了他，视为上宾。这样的贤能之人，请都请不来的，熊绎还想让周公指导理政和发展生产呢，当然得友好接待，悉心保护了。周公也很感动，再次对南方小国刮目相看。可惜没过多久，周成王在记府里看到了周公旦的文书，猛然醒悟，非常后悔，也很感动，流着泪说："谁说周公旦要造反？"随即诛杀进谗者，派人把周公旦接回镐京。周公旦回镐京后，向周成王诉说了他在楚的情况，周成王听了后也非常感激楚对周公旦的款待。这样，周、楚的冰冻也就有了回暖的契机。周、楚捐弃前嫌也是意料之中的了。至于接下来的分封，也是情理之中的了。

于是，周成王封熊绎以子男之田，姓芈氏，居丹阳。这标志着，楚族正式建立方国，即楚国产生了。楚族也有了自己的都城，居无定所、漂泊的日子终于结束了。这是楚国历史上的一件大事。

这时的丹阳，名曰国都，实为村落，估计没有城池，只有棘围之类。棘围是荆棘环绕而构成的寨栅，有防御工事的作用。而丹阳究竟在何处，也成为我国历史上长期讨论的热点，有湖北秭归、湖北枝江、河南淅川、湖北南漳境内以及陕西商县的丹江河谷等诸多说法。

关于楚国的建立时间，曾有不同认识。有人根据《墨子·非攻下》记载"昔者，楚熊丽始讨此睢山之间"，把"讨"释为"封"，认为熊绎之前的熊丽时代就已建国。还有人提出，鬻熊时即已建国。对前一种认识，有人提出了辩驳，认为"讨"是治理的意思，即熊丽开始在睢山之间建立统治关系，并不能说明其时楚国已建立。而关于后一种看法，显然不能成立，因为鬻熊只是周文王的老师或军事长官而已，"子事文王"的"子"并不是后来的公、侯、伯、子、男五爵位之代表，只是一种尊称。

虽然周王室对楚族首领熊绎进行了分封，但在西周王朝"尊尊亲亲"的思想指导下，楚也只是一个蛮夷之国，既得不到周天子的公正赏赐，也没有参加重大盟会的资格。楚国还未真正成为华夏系统的诸侯之国，楚只是缘于参加周灭商的过程中所表现的勤劳和忠贞，以及通过艰苦创业而展示出来的国力发展，才得到周王室的承认，这种认可显然是一种无奈。

《左传·昭公十二年》载："（楚灵王言）昔我先王熊绎与吕及、王孙牟、燮文、胥父并事康王。四国皆有分，我独无有。"右尹子革对曰：

"齐，王舅也；晋及鲁、卫，王母弟也。楚是以无分，而彼皆有。"吕及，是齐太公之子；王孙牟，是卫康叔之子；燮文是晋唐叔之子；胥（禽）父是鲁周公之子。所谓有分无分，是指齐、卫、晋、鲁四国都有周朝分赐的钟、鼎、车、旗、鼓之类象征地位和权力的宝物，楚国却没有。这说得很明白，齐、晋、鲁、卫，都是周的至亲，周康王当然要赏赐他们，而楚乃江汉流域之蛮夷，肯定得不到赏赐，这在当时人看来很正常。熊绎是不敢有非分之想的，但后世已经强大起来的楚灵王，可就要为祖先愤懑不平了。

还有《国语·晋语八》记晋大夫叔向云："昔成王盟诸侯于岐阳，楚为蛮荆，置茅蕝，设望表，与鲜卑守燎（燎，即祭祀名），故不与盟。"对这一记载，有人认为，楚部族首领因继承了祝融善于"火正"的传统，精通天地鬼神的缘故，所以在鲜卑的帮助下承担祭山川大神的具体活动，晋叔向认为楚为荆蛮，故不与盟，这完全是一种偏见和误解，叔向之说显系推测之辞，绝不可信。楚君参加了这次会盟，正好与周分封熊绎之事相印证。但也有人持不同意见，认为楚国当时还没有资格参加周朝歃血为盟的仪式，而且，从熊渠亲口说出"我蛮夷也，不与中国之号谥"的话来看，晋叔向的这种偏见是可以成立的。

自鬻熊开始，楚族在周文王、周武王时期，都积极参加对商王朝的征伐，功劳卓著，勤勤恳恳，对周表现得尊尊敬敬。到周成王时期，鬻熊的第三代继承人熊绎，因其祖辈们的努力和勤劳，被周封以子男之田，但熊绎似乎颇能为王事尽心竭力。他以恭谨勤劳换来了周朝的信任和楚国的安宁。周成王去世，周康王继位，熊绎仍恪尽职守。

《左传·昭公十二年》记子革答楚灵王问："昔我先王熊绎辟在荆山，筚路蓝缕以处草莽，跋涉山林以事天子，唯是桃弧、棘矢以共御王事。""筚路蓝缕"一句后来成为常用的成语，借以形容创业艰辛。"路"为车，"缕"为衣。"筚路"是简陋的柴车，"蓝缕"是破旧的袍裳。"跋涉山林"，是说熊绎奔波于丹阳和镐京之间，为周王效力，又纳贡，又当差。"桃弧、棘矢”，即桃木做的弓、棘枝做的箭，熊绎要贡这些玩意儿给周室。它们不是真正的兵器，而是模仿兵器的法器。古人以桃树为神物，桃木有神力，用以驱鬼有神效。至于棘枝，则因其多生尖刺，做象征性的箭最为相宜。桃弧、棘矢不仅可以驱鬼辟邪，而且可以消弭灾害。桃和棘到处都有，周室却要楚国贡纳，可能有三个原因：一是楚国贫弱，没有什么贵重的方物，只好献桃、棘这类东西了；二是楚地所产的桃木和棘枝或许较好，属于上品；三是楚君作为火神的后裔，用桃弧、棘矢作法最为灵验。

楚君所贡纳给周室的方物，除了桃弧、棘矢，还有苞茅。苞茅是一种草本植物。这种茅草似乎微不足道，但在先秦却是人与神沟通时所常用的。

苞茅的第一个用途是做神的坐垫。第二个用途就是缩酒以敬神。当时的酒很浑浊，需经过滤，方可敬神，以示尊崇。第三个用途是望祭。所谓望祭，就是祭名山大川。第四个用途是做宗庙和王宫的门檐。第五个用途是代表宗庙和社稷。《史记·宋微子世家》载，周武王伐殷纣王，宋微子肉袒面缚表示服罪，持祭器表示甘愿绝祀，牵羊表示犒劳周师，把茅表示献出宗庙和社稷，膝行表示谦卑。苞茅之物虽细小，但其作用不可谓不大。

鄂西直到现代仍有缩酒之祭，已知有两种方法：一是在地上先铺一层茅草，在茅草上加铺一层沙子，倒酒，让酒经沙子和茅草过滤，流在地上，就算神灵享用过了；二是在桌上放一件容器，在容器上竖放几束茅草，倒酒，让酒经茅草过滤，流进容器，也算神灵享用过了。上古楚人可能采用的是第二种方法。此等缩酒仪式与周王的缩酒仪式，恰如山野之鄙陋与庙堂之壮丽，不可同日而语。但缩酒的祭法逾三千年而不绝，则令人惊讶。楚俗源远流长，这也是一例。

楚人这段艰辛创业的日子，让楚后裔难以忘却，“筚路蓝缕”成了他们鼓舞士气的一种精神，影响至今。

还有一个故事更能说明楚人的不易和艰辛。熊绎死，其子熊艾继立。熊艾死，其子熊𪉖继立。约当熊𪉖之时，周昭王南征大败，归途中溺死于汉水。这似乎与楚无关，但历史硬要塞给楚国一个天大的冤屈，即周昭王的死与楚有关。

关于周昭王的死因，说法颇多。第一种说法认为，周昭王是去讨伐楚国的，他是被楚人打败并且害死的。东汉王逸著《楚辞章句》言：“南至于楚，楚人沉之。”后人多信其说。古人多贬楚，借此谴责楚人的阴谋。今人多褒楚，借此宣扬楚国的实力。第二种说法认为，周昭王南征归途之中，经过汉水，恰遇桥梁坏了，所以周昭王溺死水中。这是根据《吕氏春秋》的记载而得出来的认识。第三种说法是据张守节《正义》引《帝王世纪》说，周昭王南征是乘船渡汉水，船人想害他，故意让他乘胶船，到了中流，胶化了，船散了，周昭王就沉于汉水之中。第四种说法是据《初学记》引《竹书纪年》，周昭王两次南征，都遭遇恶劣天气，天昏地暗，第一次侥幸回来，第二次则丧命于汉水。或许是恶劣天气使其乘的船沉而人死于汉水。第五种说法认为，当时的周人还没有足够的经验和器械在汉水上架桥，用船来渡大队人马又很困难，估计周人只能驱使土著把大大小小的船连接起来，架设浮桥。土著出于怨恨，在工程中做了手脚，让浮桥在周人簇拥着周昭王和他的车经过时解体，以致不会游泳的周昭王溺死水中。

对于周昭王溺死汉水中是楚人谋害这一说法，后世楚人并不认可。有一次管仲代表齐桓公责问楚成王的使者说：“周昭王南征溺死水中，这是为何？寡人要问个明白。”意思是这与你们楚国有关，请给予合理解释。但管仲没有料到的是，这位楚王使者作出了这样的回答：“这事呀，请您到汉水江边去打听打听吧。”这话说得很巧妙，也很俏皮，但让能言善辩的齐国贤相管仲无言以对，给了楚人一次申辩、辟谣的大好机会。对此，今人已有更为丰富的辩驳，认为这是一宗冤案或一场误会。《史记·周本纪》没有提及楚人曾谋害周昭王。当时的楚人无力犯上作乱，当时的楚国虽有铜但甚少，周昭王既用不着无端兴师问罪于一个服服帖帖的区区子男，也犯不着到穷乡僻壤去搜刮。周昭王南征的路线，跟楚沾不上边。况且，当时的楚国境并非在汉水。

昭王溺死之后，周人望汉水而却步，再也不敢轻易跑到这里侵扰了。但这并不是说周朝完全放弃了这片沃土，而是在汉水北面安插了一批亲信驻扎在当地的小方国内，时时刻刻监视楚国等汉水南面的一些方国部落。这些亲信每逢三月上旬的巳日，用香草或者沙袋包裹食品，投吊汉水，悼念昭王和两位爱妃。据说，这两位名叫延娟和延娱的能歌善舞的女子，是周昭王最宠爱的妃子，时常伴随其左右，当周昭王溺水，她们也跳了下去，这场面想必很悲壮。投吊是古代的一种风尚，盛行于南方，而且与楚息息相关。屈原自沉于汨罗江中，后世楚人追念他的爱国之心，每年端午投吊屈原，用的是粽子。这也是端午节的起源。

三、翻身呐喊，蛮夷态度

周昭王溺死后，其子穆王继立。西周社会矛盾不断加深，朝政失修，国势不振。广大民众不断奋起反抗，社会危机日益加剧。周王朝对周边方国或臣属民族，不断加大征服和掠夺，民族矛盾也不断加深。

周昭王的死，无论楚人怎么解释，都会给周楚关系带来隔阂，从此周王朝更不会信任楚国。楚国随时都可能遭到周王朝的讨伐，尽管有时它也需要楚国的帮助。楚国君民十分清醒地认识到，必须抓住任何一个难得的机遇来壮大自己，守护自己。这样的状况，大约维持了一百多年，直到熊渠时代才有所改观。

“射石饮羽”是中国很著名的一个成语典故，意思是说，箭射入石中，陷没了箭上的羽毛，形容勇猛善射，后用以比喻心意专注则可发挥超人的力量。与此成语相关的典故有四：一是《吕氏春秋·精通》记载的楚养由基射犀牛而误射石，箭之羽毛都穿入石头之中；二是《韩诗外传》记载的楚熊渠有一天夜里行走，忽见不远处趴着一只老虎，急忙射出一箭，跑过去一看射中的并非老虎而是块石头，但箭羽早已穿入石头之中；三是《史记·李将军列传》记载汉李广一次外出打猎，隐约望见草丛中藏着一只老虎，于是张弓搭箭，一发命中，上前一看，却是块巨石，箭羽也已没入石头之中，再也拔不出来；四是《周书·李远传》记载的北周李远，也是一次外出打猎，望见草丛中有一只野兔，便射中了它，就近一看，原来射中的是块石头。

养由基是楚庄王时期的楚国名将，熊渠则是熊绎的第四代孙。熊旦死，其子熊胜立，熊胜死，其弟熊杨立。熊杨死，其子熊渠立。由此可见，“射石饮羽”这成语典故的最早来源应与熊渠有关。而且他与李广的传说故事如出一辙，说明他们都是善射高手，可以说百步穿杨。不过说起历史影响来，汉李广可谓深远，“林暗草惊风，将军夜引弓。平明寻白羽，没在石棱中”这首名诗就是对他的赞誉和传颂。

熊渠是楚国历史上又一位了不起的开拓者，他当政时，恰是周夷王在位。在连续几代的征伐淮夷之役中，周朝消耗了大量的财力和兵力。正是在这样的形势下，蛰伏在南方的楚人开始锋芒毕露了。

熊渠不仅身材高大，力敌千钧，而且深谋远虑，智慧过人，可谓智勇双全。他采取的总战略就是近交远攻，即联合楚国四周诸如邓国、卢国、罗国、鄢国等小方国，奉行睦邻友好的外交合作政策，史书载其“甚得江汉间民和”，这样楚国的政治影响扩大，有了扩张的基础和资本了，那么接下来就要进行对外军事进攻了。

熊渠的远攻战略宛如楚人谱写的三部曲，先是西征，拿庸国开刀。庸是自商代就存在的古国，建都于上庸（今湖北竹山县东），拥有今鄂西北的部分地区。西周时，国力进一步发展，成为巴、秦、楚三国之间较大的方国。对庸国的征伐，算是一次武力警告。接着是东征，攻打汉水中游的杨粤，进入江汉平原。最后是远征，攻打今湖北东部的鄂国。鄂国，交通方便，物产丰富，特别是有着丰富的铜矿。征服了鄂国，对于楚国是如虎添翼，有了与周王室抗衡的物质资本。

熊渠兵锋向南而东，表明他的战略发展重点在南方，企图在江汉流域确立其强国的地位，与周王朝分庭抗礼。熊渠的这一方针，对后来楚国影响很大，奠定了楚国立足汉江、争霸中原的战略基础。熊渠不失为楚国历史上一大政治家、军事家，对楚国的崛起与荆楚文化的孕育发展，起到了非常重要的作用。

三次出征，都成功了。这不能不让楚国上下欢欣鼓舞，有一种“翻身做主人”的感觉。兴奋不已的熊渠说出了楚人憋了已久的呐喊声：“我蛮夷也,不与中国之号谥。”这表现出一种不服周的恢宏气势和开拓精神。

既然你周王室那么不待见我楚国，我楚国何不自强自立，雄霸一方，走出一条独立发展的强国之路？当然，从整个楚国历史来看，这样的豪言壮语并非楚国的真情实感，即并非从此就不继续回归华夏文明这个大家庭了，实属一种无奈的呐喊。

经过熊渠的努力开拓，楚国的势力迅速发展，先后征服了庸国等江上楚蛮之地，控制了江汉流域广大地区，并模仿西周王朝进行分封。他分封自己的三个儿子为王，让他们分别镇守长江中游的三个要地。按照西周的所谓“国际法则”，唯有周天子能称王，诸侯只能称公、侯、伯、子、男。熊渠这个子男自称公，已经算是僭越周礼了，还一下子封了三个王，这明摆着是与周王朝分庭抗礼。尽管后来鉴于周王朝的压力和自身的实力，熊渠不得不取消了三个儿子的封王番号，但楚人的这一举动，在当时来讲，实乃石破天惊。《史记·楚世家》载：“及周厉王之时，暴虐，熊渠畏其伐楚，亦去其王。”有学者认为，熊渠之所以主动放弃王号，并非周厉王暴虐，而是与周厉王时期的强大有关，这是有道理的。

从熊绎到熊渠（约公元前 1042—前 877 年）的一百多年间，楚国由弱变强，逐步摆脱了周王朝的束缚，走上独立发展的道路。自熊渠之后，楚国虽也有宗族篡位嗜杀，但周平王东迁之前，即进入春秋战国之前，楚国是比较平稳的，当然亦受西周王朝的遏制和打击，可以说是仍在夹缝中生存与发展。

第二章

渗透：辉煌壮丽的寻霸之旅

“我有敝甲，欲以观中国之政，请王室尊吾号”，这是楚国寻家的第一次投石问路，却失望而归，只好“王不加位，我自尊耳”。看来，只有发展才是硬道理，只有强大，才能自立、自尊。又一个百年，楚国演绎了一部辉煌的争霸史，一向被华夏视为蛮夷之邦的楚，以强有力的姿态跃上了华夏文明的政治舞台。

一、“王”国时代，雄视汉东

烽火戏诸侯，是中国古代历史上一个广为流传的故事，说的是西周最后一个统治者周幽王有一个爱妃名叫褒姒，长得很美，《东周列国志》是这样形容褒姒的：“目秀眉清，唇红齿白，发挽乌云，指排削玉，有如花如月之容，倾国倾城之貌。”褒妃虽然很美，但是“从未开颜一笑”。为此，周幽王发出号令：“谁要能叫娘娘一笑，就赏他一千斤金子（当时把铜叫金子）。”于是有人就想出了一个点起烽火戏弄诸侯的办法，想以此博得娘娘一笑。

一天傍晚，周幽王带着爱妃褒姒登上城楼，命令手下点起烽火。临近的诸侯看到了烽火，以为西戎（当时西方的一个部族）来犯，便纷纷领兵赶到城下救援，一时灯火辉煌，锣鼓喧天。一问才知是周幽王为了取悦爱妃而干的荒唐事儿，各路诸侯敢怒不敢言，只好气愤地收兵回营。褒姒见状，果真淡然一笑。然而，不久之后的一天，西戎真的带兵来犯，周幽王赶紧命人点起了烽火。各诸侯一看，心里想这肯定又是周幽王“博得红颜美人笑”的把戏，都没有派兵支援。结果周朝都城镐京被西戎攻下，周幽王也被杀死，从此西周灭亡。各路诸侯率部打退西戎，立原周幽王太子为新的国君，即周平王。

周平王是一个有作为的君主，他看到原都城镐京残破不堪，时刻受到西戎威胁，于是决定迁都。在郑、秦、晋等诸侯国的护卫下，周平王将都城迁往东边的洛邑（今河南洛阳市东）。从此，西周结束，东周开始。

东周又分为春秋（公元前770—前476年）与战国（公元前475—前221年）两个历史时期。就在西周末年和春秋初期，楚国正值熊仪（又称若敖，在位时间为公元前790—前764年）、熊坎（又称霄敖，在位时间为公元前763—前758年）、熊眴（即蚡冒，在位时间为公元前757—前741年）等几代国君统治时期。

这半个世纪，楚国经过几代国君的不懈努力，国力渐渐强盛起来。

熊眴死后，其弟熊通（即后来的楚武王）杀死熊眴的儿子，夺取君位。按照儒家传统法则，熊通的政治行为属于篡位，不是很光明，但从熊通即位之后的一系列行为表现来看，他却是一位有所建树的君主。从历史文献描述来看，熊通是一位怀揣着为楚国争夺中原话语权，具有远大政治抱负，雄心勃勃、不甘落后的政治家。

熊通即位后的三十年间，楚人的活动不见史传。从其他一些文献史籍中，我们可略知熊通即位之初就曾想突破中原门户，争霸称王，但被周王朝所阻止。

在他三十多年的苦心经营下，楚国已今非昔比。虽然不能真正参与到中原争霸的行列，但完全有实力震慑汉水流域诸国了。《左传·桓公二年》载曰：“蔡侯、郑伯会于邓，始惧楚也。”桓公二年，即熊通三十一年（公元前710年），蔡、郑均为姬姓国，他们在邓（蔡地，今河南漯河市东南）会晤，商议防备楚国的对策。这表明，熊通领导下的楚国此时已很强大，再次想突破中原门户，争霸称王，引起了中原国家的惊恐，形成了中原人意识中的“南方威胁论”。同时也说明，此时周王室威信更低，国势更加衰弱。

当时，在长江中游、汉水流域至湖北西部、河南南部，邦国林立，有罗国（在今湖北宜城西）、邓国（在今湖北襄樊市北）、随国（在今湖北随州市）、申国（在今河南南阳市），等等。

随国是姬姓邦国，与周王室同姓。如果楚国想与周天子对话，在当时来讲，还需中间人的引荐或报告。这是因为“楚子”的身份太低，尽管兵强马壮，但还不足以号令诸侯。有时候，单靠军事实力，是行不通的。既然随国是周王室的同姓国，楚国就可以借助它来实现这一政治需求。再者，随国是当时江汉流域散布在楚国周围的邦国中实力最强的，《左传·桓公六年》言："汉东之国随为大。"征服了随国，就可以威慑其他邦国，从而为入主中原解决后方问题。所以，熊通三次对随进行征伐。

第一次伐随是在公元前706年（熊通三十五年）。熊通亲自率领楚国军队，浩浩荡荡开向随国边境，打算先谈后打。安营扎寨之后，熊通即派人前往随国迫使随侯进行和谈。随侯一闻熊通亲自挂帅征伐，急忙让少师（官名，具体姓名不详）组织和谈。随国当时有两个重要大臣，一个是主张“民为神主”的季梁,他坚持“亲兄弟之国”的小国外交方针，团结了江东的一些诸侯国，具有“龙头老大”的号召力。对于这次楚国大兵压境，季梁认为，楚国派使臣来和谈，明摆着是不怀好意、来者不善，他建议随国一方面应付，一方面积极进行防御准备。另一个是目光短浅、骄狂得意的少师，可他是随侯的宠臣，在当朝也是有影响力的人物。少师主动请求前往与楚国和谈，以探听楚之虚实。

这一消息传到楚国军中，一个名叫斗伯比的楚国大夫乐得合不拢嘴，他信心十足地向熊通建议："据我了解，随国这个少师很骄傲，请君王把我们军中的精锐士兵暂时隐藏起来，留下老弱病残的士兵，让这个少师看看，这样，少师肯定会以为楚国摇旗呐喊、兴师动众前来，实际上也不过如此，没有什么可担心的。随国要是自高自大，就必然抛弃小国。小国与随国离心离德，对楚国是非常有利的。当我军和谈达成之后后撤时，随师必前往追赶，然后可大破随军，使我们更有话语权和主动权。”斗伯比的见解是高明的，只有外去其盟国，内趁其矛盾，才能制服随国。

楚王熊通虽然平时显得有些粗暴，但他能够作出符合楚国历史发展的决断，善于听取大臣的良议，这对于诸侯国来讲，显得尤为重要。于是，熊通采纳了斗伯比的这一建议。

《史记·楚世家》载曰：“（楚武王）三十五年（公元前706年），楚伐随，随曰：‘我无罪。’楚曰：‘我蛮夷也，今诸侯皆为叛相侵，或相杀。我有敝甲，欲以观中国之政，请王室尊吾号。’随人为之周，请尊楚，王室不听，还报楚。”

少师见到楚国使者，便恭恭敬敬地问道：“我们随国和贵国无冤无仇，你们为何要大兵压境？”楚国使者尊奉熊通的旨意答道：“我们楚国就是你们中原人常言的蛮夷之地，当今诸侯相互争夺，社会动荡不安，我们楚国拥有强大的武装力量，也有责任维护周天子的尊严，参与中原政治，请周王室给予我们应有的尊号，以便我们更好地行使我们应有的政治使命。现在，就有劳贵国把我们的这一诉求向周天子传达。这样，我们两国更加友好，有利于汉东地区的安宁。”

少师连连称道，代表随国接受楚国的盟约，并在熊通等人的陪同下，亲临楚军营中，观看了楚国军队阵容，不免心里偷着乐：楚国也没什么了不起。

少师返回随国，如实向随侯进行了汇报，认为楚军阵容混乱，不堪一击，何不趁楚军撤退时，给他一个痛击，让楚人再也不敢轻视这些汉东小国。

而季梁明白，楚国这样的安排是有意的，就是想让随国上钩，于是，他劝随侯依然遵守与楚国的盟约，请周天子加封楚国尊号。如果周天子不同意这样做，随也算尽力了，于随无罪；如果周天子准封，那么随国对楚国是一种恩德，两国友好会持续下去。庆幸的是，随侯此次竟没有听从少师，而是遵从了季梁的建议，这样楚、随就避免了一场争斗。斗伯比也知道这定是季梁的谋策。

随侯亲自前往洛邑，向周桓王如实禀报了楚国的“良好政治夙愿”。周桓王一听，很不高兴。当时在座的大臣进言说：“南面楚国已虎视眈眈了，如果加封爵号，等于承认其独霸南面的地位，这样，荆楚如虎添翼，必然成为周王室的隐患。况且，蛮夷之国，是不能享有这样的尊荣的。”于是，周天子当场予以回绝。随侯只好通报楚国，告知周天子的决定。熊通闻讯大怒：“吾先鬻熊，文王之师也。蚤终。成王举我先公，乃以子男田令居楚，蛮夷皆率服，而王不加位，我自尊耳！”这是说，楚国先君曾是周文王之师，多次援助周王室，是西周的开国功臣，但只得到了一个子爵封号。现在楚国强大了，南方蛮夷之邦也听从楚的号令，友好相处。既然周天子不给楚封侯，那么楚国便自己加封爵号。于是，熊通僭越称王，是为楚武王。

然而，熊通这次僭越称王，并没有引起中原周天子和诸侯国的关注和强烈回应。这让楚武王大为不解，心里也高兴不起来，自己的政治抱负显然没有实现。他以为这是诸侯蔑视他的权威，于是再次召集足智多谋的斗伯比商量对策。斗伯比认为，诸侯确实是在轻视楚王，应该给他们一点颜色看看，找一个机会，对某一诸侯敲打一下，迫使各诸侯承认楚王的合法地位。

楚武王同意这样做，于是派使者下帖告知周边侯国，楚国要召开诸侯盟会，各诸侯要按时报到。汉东小国基本都威慑于楚国的强大，不敢不从。诸国国君纷纷亲自带队，提前来到盟会的地方，等待楚武王的发话和号令。而黄、随两国的国君却迟迟未到，这让楚武王很生气。他派人责备黄国和随国，让他们给一个合理的解释。黄国国君连连说“对不起”，由于本国事务繁忙，道路泥泞，没有按时前往参加盟会，下次一定准时，改天将亲自前往楚国向楚王道歉。碰到这样的认错态度，楚武王也只能作出大国的姿态，不再追究。但随国就没这么幸运了，当楚国使者来到随国，责问随国国君为何不去参加盟会时，随侯听从了少师的意见，向楚国使者当面说这是他们故意不去，没有必要接受楚国的这一质问。这正中楚武王下怀，给楚国征讨提供了绝佳的机遇，楚、随战争就不可避免了，随国也就没有上次那么侥幸了。

既然已无法挽回和平局面，季梁也只能为随国积极谋划备战。他认为，面对楚国的强大攻势，随国不宜急于应战，应先委屈求和，如果不成，楚国的征讨会激怒随国人民，到时随国全体军民会破釜沉舟，誓死抗争。而少师亲眼看到楚军的羸弱，当然不能同意季梁的做法了。况且，二人在随国朝中本来就矛盾重重，少师还想通过此次战役来获得随侯更多的赏识，提高他在随国中的政治地位，也趁机打压季梁这个冤家对头。于是，他积极劝说随侯，认为这是随国翻身的好机会，要与楚国决一死战，洗刷往日的国耻。他的这番慷慨陈词，说得也很动情，随侯很是感动，也就同意了少师的建议。

季梁只能面对现实，但还是不愿意自己的国家遭受灭顶之灾。于是，他提出了对楚的作战方案，即攻击楚军的弱点。当望见楚国军队时，季梁向随侯进言说："楚人以左为尊，国君也必在左军中，我们不要与楚左军相遇，而要攻击楚军的右方，这样楚右军必败，楚军整体就会撤退。"少师毫不示弱，亦向随侯进言曰："不和楚王正面交锋，就不能成为与楚国对等的国家。作战以巧取胜，会被天下耻笑。"

随侯又一次听信了这位少师的意见，战争的结果可想而知。少师被楚将斩于车下，而季梁在关键时刻保护随侯，杀出一条血路，侥幸脱险。之后，季梁代表随侯前往楚营求和。楚武王这次真想彻底灭了随国，但他还是听从了斗伯比的建议，再次与随国签订盟约而返回楚国。

十余年后，随国的厄运又来了。周天子对随国奉楚为上国，每年进贡称臣大为不满，严厉警告随侯。随侯很无奈，受着夹板气，一边是自己的雄敌，一边是自己的顶头上司，谁都得罪不起。相比之下，随侯只能向楚国说明原因，请求废除盟约。对于气势正盛的楚国来讲，这是不可能办到的。于是，楚、随的第三次战争就爆发了。

这时的楚武王，年岁也大了，虽雄心仍在，但岁月不饶人。更让人无法忍受的是，他的儿子莫傲屈瑕死在了他的前面。

莫傲屈瑕是一个难得的军事人才，奉父命出征汉东各小国。有一次讨伐邻近的绞国，两军对峙数月未果。莫傲屈瑕心生一计，让一批老弱残兵故意在绞国城外林中砍伐柴草，而绞国城内早已没有柴草可烧，于是，绞国不得不派人前来抢夺，顺利得手。之后，连续几天都成功获得。莫傲遂派出更多的士兵砍伐柴草，这样绞国也相应增加出城抢夺的人数。等绞国的士兵大捆小捆地往城里扛柴草时，莫傲下令埋伏在城门外的楚国士兵冲进城内，一举歼灭了绞国主力。

当楚国讨伐绞国时，楚东南方的罗国打算偷袭楚国。只是当其探子发现楚军主力没有全部出动，才没敢实施这一作战计划。然而，楚国在一次审问罗国间谍时得知罗国的预谋，楚武王既感到震惊，又非常恼火。区区一个小罗国，竟敢这样对待楚国，哪还有好果子吃。楚武王决定征讨罗国，主帅依然是莫傲屈瑕。

在出征前，楚武王亲自带领儿子检阅了雄赳赳、气昂昂的楚军，目的之一，是以此来稳固和提升儿子在楚国的地位。斗伯比见莫傲屈瑕自大，示意他不要太大意，希望他能认识到骄兵必败的道理。但此时的莫傲屈瑕已经目无一切，头脑里全部是凯旋的喜悦。随着莫傲屈瑕的远去，斗伯比深深叹息："此次出征，楚军必然失败而归。"

等楚军出征后，斗伯比来到楚武王的住所，说出了自己的看法，提醒楚武王，增兵援助莫傲屈瑕。但此时的楚武王，也被以前的胜利冲昏了头脑，觉得一个小小的罗国，不值一提，儿子肯定能胜利归来。斗伯比只得无奈离开。

随后，楚武王来到了王后邓曼的住所，在谈论中他把斗伯比的想法告诉了邓曼。邓曼这个王后可不简单，史书对其作了较多描述，且被定为一个料事如神者。当她听完楚王的话后，忧心忡忡地对楚王讲，斗伯比恐怕不单是让大王您增派兵员，其用意重在提示您，莫傲屈瑕骄傲自大，这次根本就没把罗国放在眼里，必然会失败而归。楚武王一听王后的这番分析，顿时醒悟，速增派士兵前往支援。但战事已开，来不及了。

正如斗伯比分析的那样，莫傲屈瑕把这次征讨当作一次远郊之游，他坐在宽敞的车中，拥着几个美女，根本不把战事放在心上。为了自己的欢快，他竟然下了一道一生中最为糊涂的命令："乱报军情，斩无赦。"征战的将士，干脆什么也不报。就这样，在一次渡河时，罗国突袭，军中大乱，楚师大败。莫傲屈瑕这才清醒过来，但为时已晚。他觉得自己上对不起父亲和深爱的祖国，下对不起随战的将士，走进一个树林，自缢身亡。

屈氏家族，延续了三百多年后，又产生了一位著名人物——屈原。他的结局和其先祖一样，也是自杀身亡，但其原因不同，影响也不同。

既然儿子去世了，楚武王这次出征随国，也只能亲征了。但失子之痛，难以言表。出征前，他感到自己胸闷气短，行动迟缓，好像一下子更老了，能否凯旋，自己心里也没了底。又是王后邓曼先知而说道："大王的生命看来已到尽头，如果此战楚军没有损失，即使大王不幸途中去世，楚国也是幸福的。"过汉水东岸不久，楚王心脏病猝发，坐在一棵大树下静静地离开人世。跟随楚武王的将领，决定秘不发丧，仍按照原计划东进。随侯惶恐不安，只好又与楚国签订盟约，臣服于楚。楚人完成会盟，回到楚国，才正式为楚武王发丧。

楚、随两国，可以说是相见亦恨、相离又思的连带关系，既有相互征伐，又有友好合作。之后的楚成王、楚昭王等多位楚王曾避难于随国，随国对楚国又是有恩的。

楚武王在位的时候，不但三次征讨随国，还开拓了江汉之南与分散各地的百濮部族的大片土地，吞并罗国、戎国等周边诸侯小国，使楚国得以雄视汉东。

二、始通上国，踏足中原

楚武王死后，由其子熊赀继位，是为楚文王。经过其父近半个世纪的经营，楚国的后方更加稳固，因此更有条件问鼎中原。于是，楚文王即位第二年，就开始实施“观中国之政”的政治目标了。他要完成父亲的这一宏愿，首先要踏平北进中原的第一道防线，即消灭申国和邓国。

楚文王的母亲邓曼是邓国人，邓国国君即为文王的亲舅舅。所以，楚文王只好先越过邓国而攻打申国。当楚文王亲率大军浩浩荡荡地前往邓国边境时，邓侯赶紧设宴款待这位实力雄厚的外甥。邓国的一些贵族一看邓侯要宴请楚文王，心里不免存满疑虑，这个有野心的外甥一定不是简单路过或前来看望他的舅舅。因为邓国是处在楚国与申国之间的一个小国，楚国入申得向邓国借道，而一旦楚国灭了申国，邓国自然就成为楚国计划中的一片孤岛，被侵占是早晚的事。

他们簇拥着、忐忑着来到王宫大殿，按照礼仪规矩坐好，等待这位楚国大王真容的现身。就在他们刚刚坐下时，楚文王身披金色战袍，威风凛凛地走进王宫大殿。邓国国君起身前来恭迎，虽身为舅舅，但国力悬殊，政治地位不平等，也就使他显得唯唯诺诺、毕恭毕敬。

一番寒暄之后，宴会正式开始。楚文王高举酒杯，敬祝舅舅和各位前辈万寿无疆，一饮而尽。在整个宴席中，楚文王并没有谈及战略计划的任何一点消息。吃饱喝足之后，他就下榻休息。第二天，他率领部队向申国进发，很快就灭了申国。

在楚文王刚到邓国时，邓国大臣们就告诫邓侯楚国灭了申国后必然会攻打邓国，到那时邓国的命运就完了，并劝说邓侯乘机刺杀楚文王。

邓侯觉得这不可能，外甥怎能攻打舅舅，况且谋杀来宾，会让天下人唾弃，这是不义之举。结果，楚国回师时，果然攻打邓国。楚文王十二年（公元前 678 年），楚国灭了邓国。

在今河南东部和安徽西部有一个陈国，妫姓，建都宛丘（今河南淮阳）。陈国国君有两个女儿，大女儿嫁给蔡国国君献舞，小女儿叫息妫，长得如花似玉，父亲早已为她与息国国君约定婚姻。当息妫出嫁路过蔡国时，蔡侯以姐夫的名义，将其暂留在蔡国，并试图霸占。这一行为很快传到了息国国君耳朵里，息国国君非常气愤，想法报复蔡侯。他派人前往楚国，面见楚文王说："请您出兵，假装攻打我们息国，然后我们向蔡国求救。蔡国一出兵，您就可以攻打它。"这当然符合楚国北进中原的战略之需，楚文王立马应允。最后的结果就是楚国真的攻打蔡国，并俘虏蔡侯回国。

这是楚国第一次和中原大国交往，"始通上国"，"上国"指的是中原。

蔡侯辗转才得知楚国出兵攻打蔡国完全是息国的主意，他当然咽不下这口气，寻找机会要报复息国。当他得知楚文王也贪恋女色，便向楚文王描述息妫如何美丽，试图怂恿楚国攻打息国。楚文王一听，心里美得很。于是，他假借巡狩之名，来到息国。息侯一看楚文王亲临寒舍，急忙设宴款待。息妫也亲自斟酒感谢楚文王的"救命之恩"，楚文王一看，眼珠都不会打转了。

接着，楚文王回请了息国国君，但等待息侯的可不是美酒佳肴，而是伏兵暗杀。这样，息侯就被杀于宴席前，楚文王亲率大军攻入息国王宫，掳走息妫，灭了息国。事情来得太突然，息妫还没明白怎么回事，就稀里糊涂地被封为楚夫人了。一个弱女子，反抗已是无意义之举，只能听天由命。蔡侯因介绍息妫有功，被放回国。

几年之后，息妫已是两个孩子的母亲，但她始终闷闷不乐，很少讲话。两个孩子，一个叫熊艰，一个叫熊恽，熊恽即后来的楚成王。一次，楚文王问她为何不高兴。她答道："我一个女人，伺候两个丈夫，又不能死，还能说什么，这都是蔡侯献舞害的。”楚文王为了博得夫人的欢心，于是派兵攻打蔡国。蔡侯赶紧请罪，并赠送大量金银珠宝，楚国这才撤退。

唐代著名诗人杜牧对这位美人有所感慨与惋惜：“细腰宫里露桃新，脉脉无言几度春。至竟息亡缘底事？可怜金谷坠楼人。”楚国文化，好细腰，以苗条为美，这是一大特色。据文献记载，楚灵王喜欢细腰之美女，故全朝上下兴起一股减肥潮流，主要是少吃饭或不吃饭而使自己的身体消瘦下去，以望得到国君的青睐。楚襄王曾经到四川巫山这个地方游玩，建有行宫，据说遗址早年还存在，后人称之为细腰宫。

当然，杜牧把息国灭亡归咎于息国的这位准儿媳身上，在一定程度上是可以成立的，但从当时整个历史环境和发展趋势来讲，这有点夸大这位美丽动人的少妇之作用了。楚国称霸中原，一直是楚族全体人员的政治梦想。即使没有息妫夫人，楚国也会北进灭息国和蔡国的。它们是楚国北进中原的重要屏障，必须被拔掉，任何阻挡都是无力而徒劳的。

灭掉息国与申国之后，楚国继续推行它的县制，在两地分别设置息县与申县，进行统治与管理。如果从中国古代郡县制度来讲，说楚文化落后于中原文化，是不能成立的，因为楚国的郡县制度要早于中原的部分王国。而且，近代以来的诸多考古发现，也越来越证实了楚文化的先进与发达。这一点，我们后面还要详尽谈到。

楚国灭邓亡申之后，完全控制了中原门户，可以说进军中原之道畅通无阻。这样，下一个目标就是郑国了。当然，攻打郑国也需要一个合适的理由，而这个由头早在二十年前就已奠定了。原郑厉公诛杀专权的大臣祭仲失败之后，就逃离国都，在蔡国国君的帮助下，暂寄居于郑国一边城内。在楚国灭邓两年前，郑厉公又积聚力量再次起兵攻占郑国王宫，重新夺得君位，但他的这一重大政治行动并没有告知雄踞一方的楚国。于是，楚国决定对郑国这一所谓无礼行为进行惩戒，攻打郑国。

当然，这明显就是一种强盗逻辑，但在春秋战国时期，这种逻辑是可以成立的，也是很正常的。称霸是这一历史时期的一种思潮或政治追求。

楚文王成功地实现了楚国“始通上国”这一政治梦想，又向称霸中原迈出了坚实的一步。在楚国人民心目中，楚文王是一位有魅力、有雄心、值得依靠的国君。这并不是说楚文王是完美无瑕、至高无上的，他起码是一个普通人，也有七情六欲，也有弱点，但他成功了，因为他有一批忠臣在辅佐他，有热爱楚文化的国民在拥护他。

历史赋予了这位伟大的楚国之君诸多丰富的神话与传说，或许这是上天赐予他的一份荣耀。有一次，楚文王得到一条良犬和几支上好的箭，于是兴致勃勃地到云梦去打猎，一去就是三个月。同时，他还得到一位美如天仙的女子，对其宠爱有加，竟然一年都不上朝。面对这样的国君，他的一位忠臣不高兴了，劝诫楚文王道：“先王遗命我辅助大王，大王如今有过错，自然要受到惩罚。”文王答道：“师傅你就不要那么认真了，寡人已经长大了，如今成为江汉诸侯列国之长了，寡人可以改正不合适的做法，至于惩罚就免了吧。”这位大臣继续说道：“臣受命于先王，如果大王不接受惩罚，那么臣就是违背先王之命，但臣宁愿得罪大王，也不能负罪于先王。”文王无奈，只好认罚，于是趴在地上，大臣让人拿来一些细荆条捆成一把，自己先跪下，轻轻地把荆条放在文王身上，然后又重复一次，完后请大王起身。文王还没有回过神来，就结束了，他觉得这样无关痛痒的惩罚，根本没有必要嘛。而这位大臣听后，很难过，向大王诉说道：“君主以受笞为辱，小人以受笞为痛，大王您怎么就没有感受呢，服侍您这样的国君，我还不如跳河寻找先王呢。”文王一听，才觉得大臣说得对，赶紧请回这位忠实的大臣，亲自认错伏罚，同时杀死了那条心爱的良犬，折断了那些良弓利箭，以表勤政理民，还远离那位美女，专心于朝政。相传，楚文王长相丑陋，他的这位大臣乃驼背，就是这样不起眼的相貌，却很好地治理了楚国，使得楚国蒸蒸日上。

楚文王还有一个优点，就是善辨良臣与佞臣。他身边有这样两位大臣，一个让他觉得在身边时不自在，离开则悠然自得；另一个让他觉得在身边时欣然自由，离开则浑身不舒服。但在实际中，他却对前者委以重任，而后者，他却吩咐其离开楚国。楚文王选贤任能，不分民族，不分贵贱，只要有才，能辅佐治理好国家，他都会任用。

楚文王秉公执法，不徇情枉法。有一次，他带着两个儿子前往攻打邓国，在宿营期间，让这两位小王子前往山里摘野菜，目的是锻炼他们的胆识和智慧，当然也有选拔继承人的用意。没想到，这两位王子竟然夺取一位山里老者的野菜，满载而归。当文王得知事情真相后，下令按照楚国律法进行惩戒。

楚文王具有很好的判断力，不轻易相信，但信了就不轻易怀疑。很久前，楚人和氏在山中采得一块尚未打磨的玉石，献给楚国君蚡冒。蚡冒让人鉴定，玉官说这是一块石头。和氏因欺君之罪被砍断了左脚。蚡冒死,楚武王立。和氏再次把这块玉石呈交给国君,玉官仍说这是块石头，和氏又因欺君之罪被砍断了右脚。武王死，文王立，和氏这次没有把这块玉石献给文王，因为他绝望了，抱着这块玉石在山中哭泣、滴血。楚文王听说此事后，立即命人查问怎么回事。和氏说：“大王啊，我并不是因为皮肉之痛而悲伤与哭泣，而是因为国君把美玉当成石头，讲真话的人竟然被惩罚，而说假话的人却加官进爵。”文王让人进行雕琢，果然发现这是块天然美玉，于是命人做成璧，并命名为“和氏璧”。三百余年后，和氏璧已价值连城，为赵国所得，成就了历史上“完璧归赵”这一段佳话。

楚文王时期，楚国还有一位大臣，其刚直和忠诚可谓举国无双。有一次，因楚文王不听劝谏，这位大臣竟拿着兵器威逼楚文王纳谏，然后自断一足以示谢罪。在楚文王离世时，他亦自尽随葬而去。

楚文王同楚武王一样，都是抱病出征，暴死于征战途中。他们是楚国的骄傲，是楚国入主中原，摆脱蛮夷之地的伟大君主。

三、北上争霸，雄鹰展翅

楚文王死后，由长子熊艰继位，然而当时熊艰才七岁，而且母亲喜欢弟弟熊恽，因为熊恽聪慧有才。这样，兄弟俩逐渐产生矛盾，各自有一派元老重臣扶持。往日的国君臣民齐心合力之现象，也随着日月流逝而淡化了。一场宫廷残斗又要上演了。熊艰准备派人杀掉自己的亲弟弟熊恽，熊恽得到消息后逃往随国。在随侯的帮助下，他反而杀死了自己的亲哥哥熊艰，登上了楚国国君的宝座，是为楚成王。

虽然熊艰在位三年，但无所作为，楚国也没有承认其为国君，因此他只能被称之为堵敖，无法享受王的尊号。

成王初立时，也还年幼，不懂得打理朝政，只好由其叔父令尹子元和其他元老重臣帮助治理国家。一方面，楚国稳定民众，恢复往日的协和局面，另一方面他们积极上朝周天子，纳贡进献，维护外交上的稳定。当时的周天子周惠王也赐祭肉给楚国，告诫楚国要维护好江汉流域的秩序，不要侵扰中原。此时楚国已是千里之强国了，周天子也不能把它怎样，只好趁机安抚。同时，对于楚成王而言，他毕竟是杀死自己的哥哥而夺得王位的，周惠王封赐祭品，也算是对其不光彩的行为给予了默认，这对他来说是好事。

楚文王的妫夫人辛苦抚养两个孩子，自己还沉浸在失去丈夫的痛苦之中，就亲眼目睹了儿子之间的残杀，心力交瘁，也无力关注楚国的政事。但天生丽质的她，此时才三十多岁，依然貌美如花。子元是楚文王的弟弟，比其嫂子年长几岁，时间长了，不免会产生一些想法。于是，子元为了接近嫂子，就在嫂子住的宫殿旁盖了一座豪华的新殿，常常让乐舞之人跳舞，企图挑逗这位孤独寡居的嫂夫人，而且，好几次，子元借与嫂子商量政事之机，动手动脚。妫夫人早已看出了子元的动机，感到孤儿寡母遭受欺辱，又思念起了自己的丈夫楚文王，不禁悲从中来，一边哭，一边向服侍她的人说：“先君让人跳舞，是用来鼓舞士气进行战备的，而令尹让人跳舞，不用于仇敌，却用在一个寡妇身上，这不是很奇怪吗？”这话经宫女们闲谈，最后传到了子元耳朵里。

子元一听，感慨道：“一个女人尚不忘记仇敌，我作为楚国的大臣反倒忘记了。”于是，子元打着讨好嫂夫人的旗号，挥师北进攻打郑国。而郑国面对这突如其来的讨伐，毫无准备，在外城郭被攻下来时，内城的将士还未醒悟过来，悬门都没有放下来。这倒让子元感到有些疑虑，是不是郑国早有防备，故意设下埋伏，以图一举歼灭楚国军队。如果这样，我就得不偿失了。况且，我率兵前来，并不是真正讨伐郑国，只不过是赢取嫂夫人的欢心罢了。于是，子元低声用楚方言命令全体将士迅速撤退到城外，又怕中原其他国家趁机报复，于是留下帐篷，回到楚国境内。殊不知郑国内城已乱作一团，正准备逃跑，忽有士兵报告说：“楚国营帐上落着成群的乌鸦，一定是座空营，楚军已撤退了。”于是，他们缓了口气，不准备逃了。

子元虽然没有以军事胜利而博取嫂夫人的欢心，但他却肆无忌惮地住进了王宫，欲霸占嫂夫人。有人劝阻，反被抓了起来。于是，妫夫人、楚成王与申县长官斗班密谋，杀死了子元。斗班的父亲斗谷於菟是当时的一位元老，被楚成王命为令尹，即令尹子文。这是春秋时楚国最为著名的两位令尹之一，另一个就是之后楚庄王时的孙叔敖。

斗谷於菟这个名字，还有一段来历。前面我们提到楚武王时的大臣斗伯比，他是若敖与一位郧国公族女子所生，这位夫人不是若敖的正妻，因而斗伯比作为庶子是没有继承权的。若敖去世后，并非正妻的这位夫人只好带着儿子斗伯比离开楚国回到娘家郧国了。斗伯比长大后，和郧国国君的一个女儿相爱。当然，以斗伯比的身份，郧国国君是不会同意这门亲事的。但他们又很相爱，于是他们私奔，来到一个叫云梦的地方，生下一个男孩。云梦，是指郧国一个称梦的地方。梦是楚言，指草泽或平原之类，在秋冬该地是极好的狩猎场所，在春夏又是人们游乐的好去处。斗伯比的舅母郧夫人本来就不喜欢他，自己的女儿还为他生下这么一个孩子，更加恼怒，于是派人把这个男孩扔到云梦这个地方。碰巧的是，郧国国君打猎到此，看到一只老虎正在喂养这个孩子，大惊失色，赶忙回到都城，并向夫人说起这件怪事。夫人一听，知道这个孩子就是自己派人丢弃的外甥，急忙又派人把这个男孩抱回来。郧国国君给他取名叫斗谷於菟。斗是姓，谷於菟是名，谷在当时来讲是乳，於菟意为虎，合起来就是吃老虎奶的孩子。楚国一代名相就是这么来的。

后来，斗伯比带着妻子与儿子回到楚国，成为楚国的重臣。其子斗谷於菟也成为楚文王时的元勋，在楚成王登位方面功不可没。可谓虎父无犬子，斗谷於菟在帮助楚成王即位后，为了缓解楚国的财政危机，主动捐献了自己的全部家产给国家，这在当时来讲，是十分难得的，也是非常可贵的。他们一家人过得很拮据，甚至一度挨饿受冻。每逢令尹子文上朝，楚成王都让人准备一串干肉、一筐米饭，作为午餐。有这样的廉吏、这样的忠臣辅佐，楚国的霸业何愁不继续进行。楚成王时期，齐、楚争霸的戏码终于上演了。

楚成王六年（公元前 666 年），楚国停止了向周天子进贡。成王十四年（公元前 658 年），楚国开始对郑国进行征讨，第二年、第三年，连续三次实施讨伐。这三次伐郑，采取速战速回的军事策略，并非要歼灭郑国，而是在警告中原包括周天子在内的诸侯国们。正是这样连续三次对中原的讨伐，引起了中原各诸侯国的惊恐和忧虑。

齐国原是西周初年分封的诸侯国，姜姓，开国国君是姜尚，位置在今山东北部，建都于营丘（后改称淄博，在今山东淄博市东部）。齐国是东方的一个大国，齐桓公时任用贤相管仲，积极推行改革，从此国力大振。

作为“春秋五霸”之一的齐桓公，当然不能对楚国的这一系列行为熟视无睹，他“挟天子以令诸侯”的这面大旗是时候对南方这一猛虎发威了。

就在楚成王十六年（公元前656年），齐国攻打蔡国，起因仅仅是因为一个女子。齐国与蔡国本来相安无事，还是姻亲。约一年前，齐桓公带着夫人蔡姬来到郊外一处美丽的湖水中欣赏大自然的美景。这位美丽的夫人为了玩得更加刺激，故意让小船左右晃动，因为她知道齐桓公从小怕水。就在她得意狂笑之际，这位威风凛凛的中原霸主终于发怒了，一气之下把蔡姬赶回娘家蔡国去了。而蔡侯一看自己的女儿哭着回来了，心想你齐国有什么了不起，我把这么美丽的女儿嫁给你，本来心里就憋着委屈和怒火，这下也好，我们还不伺候你这位霸主了。于是，他就把蔡姬许配给了他人。

齐桓公本想让夫人回娘家，以示对其水上行为进行惩戒，挽回一个男人的尊严和颜面，其实他心里还是喜欢这位美丽动人的妻子的。不料连续等了几天，都没见妻子回来，于是他派人前往蔡国询问。当差人把蔡姬改嫁之事的消息带回来时，齐桓公这头公羊终于爆发了，气得哇哇大叫，这是对其最大的羞辱，此仇不报枉为人君和霸主。齐桓公虽然怒火中烧，但这位霸主的理智依然存在。他觉得因这点小事就对蔡国发起攻击未免小题大做，会失掉中原霸主的气势和面子。这时他的贤相管仲替他想了一个两全其美的法子，即继续打着“尊王攘夷”的旗号，联合鲁、宋、陈、卫、郑、许、曹，组成八国联军，扬言伐楚。因为从齐国到楚国，如果不特意绕路，必然要经过蔡国。齐桓公的真实意图，就是借伐楚的名义而偷袭蔡国。果然，齐国突然攻入蔡国，蔡侯落荒而逃，齐国胜利移师于蔡国西面的陉山（在今河南郾城县东南），这样齐国与楚国就形成了南北对峙局面。

楚成王一看齐国这架势，分明不怀好意。年轻气盛的楚成王并不吃齐国这一套，于是他派使者前往齐国营地，对齐桓公说道：“楚国与齐国一南一北，本来是风马牛不相及，齐国目前的这一阵势又是怎么回事？”

这样的话，显然带着一种霸气，还略带幽默风趣。当然，管仲也不甘示弱，他答道："自我齐国先祖以来，就担当维护周室统治的重任，你蛮夷之国不向周天子进贡财物，而且把周昭王害死于南征途中，齐国这次是替天行道。"这明显是拿周天子来压人，但气势是咄咄逼人啊。这位楚国使者不急不忙地反驳道："说我们楚国这两年没有向周天子进贡物品，这是我们的过错，也是因为路途太遥远，怕送过去的东西因时间太长而腐烂损坏，等条件好了我们会加倍进贡给周天子；至于你所说的楚国害死周昭王，这纯属无稽之谈，你去问问汉江流域的子民吧，他们或许能告诉你事情的真相。"这说得很巧妙，让傲气十足的管仲，一时也无言以对。齐桓公一看这场面，觉得惩罚蔡国的目的已达到了，楚国在一定程度上也向自己及周天子认错了，见好就收吧，这头南方雄狮不是那么好对付的。于是，齐国决定同楚国建立盟约。

齐国率领的八国联军，为了表示会盟的诚意，向后撤了几十里，来到一个叫召陵（今河南郾城县东）的地方，安营扎寨，准备举行会盟。楚国也撤回楚国边境，派出大将屈完代表楚成王参加会盟。

齐桓公带着楚国这位大将，检阅了八国联军，以示中原军威。起初，二人边走边互相称赞，还算谦和。不一会儿，齐桓公不由地炫耀起来，对屈完说道："请看，这样的军容和阵势，谁能抵挡得住？以此攻城，何城不破？"这位楚国大将也不是吃素的，巧妙地应道："君王若以德服人，那还让人听命；若以武力压人，楚国有的是城池，难道还惧怕不成？"这就是有名的召陵会盟，也是齐、楚两大诸侯国争霸对峙的开始。对于双方而言，无所谓失败与胜利，但在气势和自信上，楚国显然略胜一筹。

楚国北进中原受到齐国的阻挠，于是把矛头转向东方，在那里有一个小国叫弦。弦是姬姓小国，故址在今河南潢川县西北。弦国国君依仗与黄、江、道等国（与齐国友好）的姻亲，而不向楚国纳贡。公元前655年（楚成王十七年），楚成王派令尹子文灭了弦国，弦国国君逃到了黄国。黄国国君亦仗着齐国的威风，而接纳了弦国国君，并借此不向楚国纳贡，还信誓旦旦地扬言：“楚国离我们黄国千里之远，是不会前来攻打我们的。”不过公元前 648 年（楚成王二十四年），楚成王就率兵灭了黄国。

就在楚国灭弦国的同年，周惠王对齐、鲁两国略有不满，要求郑国向晋、楚两国靠拢。作为霸主的齐国，对周天子的这一做法很是恼火，遂率领八国联军会盟于卫国，而八国之一的郑国国君却在中途逃跑，没有参加会盟。第二年，齐桓公率领其他六国攻打郑国，这是对其临时倒戈的一种惩罚。郑国于是求救于楚国。楚国出方城，采取围许救郑的策略。300 年后齐国“围魏救赵”这一著名军事战略，实际上楚国早已发明，只不过后世因贬低楚文化而忽视了这一军事成果。

很快，楚军包围了许国之都城，八国联军弃郑而救许。楚师稍退，八国联军全线撤退。许国国君见楚军仍在方城外，心中惧怕，于是前往见楚成王，负荆请罪。这位许国国君双手反绑着，口中含着玉璧，许国的大夫们穿着孝服，许国的士兵抬着棺材，以请死罪。年轻的楚成王哪见过这样的场面，一时不知如何应付，还好身旁的一位大臣对其说道：“先前微子启向周武王投降就是采取这种形式，周武王见到后赶紧命令手下给微子启松绑，接受所献之璧，让人把带来的棺材烧掉，以国君之礼接待微子启，并辅助微子启回国复位。”这么一说，楚成王心中有数了，他照葫芦画瓢，表演了一番。这次战役是楚成王第一次亲临指挥，也是他第一次与中原诸国国君打交道。

楚国灭黄国后，接着又灭掉了英、蒋、应等小国，其势力一度扩展到今河南南部和安徽北部地区。这样，经过短短的几年，楚人从淮水上游进取中游，从淮水中游进取下游，速度之快令中原诸侯头晕眼花，一时不知如何应对。

公元前 643 年（楚成王二十九年），对楚国来说是一个难得的历史机遇。这一年，齐桓公与管仲相继离世，齐国内部发生了夺位之争，这对齐国的霸主地位是沉重的打击。齐国虽说还是一个大国，但其霸业从此开始衰落了。原来与齐国联盟的宋、卫、曹、郑等国也纷纷倒戈，反过来联合攻击齐国。郑国国君郑文公朝见楚成王，以示投靠楚国之诚意。楚成王送给郑文公一批铜，刚送掉就感到有些后悔，但也不便要回，于是借此与郑国订立盟约，要求郑文公不能用这些铜铸造兵器来攻打楚国。郑文公还算听话，回去后用这些铜铸造了三口大钟。

公元前640年（楚成王三十二年），随国串通汉东的一些小国背叛楚国，但以失败告终。楚成王大度地宽容了随国的这一政治行为，虽说随侯保持住了往日的国君尊荣，随国的宗庙和制度也一如往常，但随国从此开始了长达三个世纪的附庸角色。从此汉东小国再也无力挽回昔日的荣耀了，只能在楚国这支雄鹰的翅膀下活动了。允许在自己的腹地保留一个独立王国，也显示了楚国国君和臣民的恢宏气度。

环顾四周，楚国似乎没有敌手可以对付了，进军中原，争夺霸主可以顺利进行了。然而，宋国在这时蹦了出来，让这位楚成王受到阻碍，看来要想取得中原霸主地位，不是一件容易的事。

宋国，子姓，是西周初年周公平定武庚叛乱后，将商的旧都殷（今河南安阳小屯村）周围的地区分封给商纣王的庶兄微子启而建立起来的，都城在商丘（今河南商丘南）。其疆域包括今河南东北部、江苏西北部、安徽北部、山东西南部。

宋国传到宋襄公时，已是第二十世。宋国经过二十代人的不懈努力，国力在周围诸侯王国中也算是强大的了，况且它还是公爵之封国，政治地位比楚国要高。宋国一直比较注重与齐国的关系，两国可谓友好长存。在齐桓公称霸中原时，宋襄公紧随其后，多次参加会盟和征战，确实对齐国的霸主地位起到了推动作用。宋襄公也以此为荣，自认为是齐桓公的“铁哥们”，有这位大哥罩着，荣耀和富贵那是肯定的了。宋国常借齐国之势，对一些诸侯国狐假虎威，到处炫耀，以天下老二自居。

齐桓公在世时，曾将公子昭托付给宋襄公。在齐桓公去世后，宋襄公趁齐国内乱之机，率领几个诸侯国攻入齐国，赶走了齐国公子无诡，迎立公子昭为齐孝王。这使得宋襄公更加得意，觉得自己有义务也有资格继续齐国的霸业。

宋襄公是历史上有名的仁义之君。他认为，霸主不一定要靠武力，只要能联合各诸侯国举行会盟，就可以称霸了。于是他开始了一系列会盟筹备。

公元前639年（楚成王三十三年）春天，宋襄公向齐国和楚国发出了会盟的邀请，地点当然定在宋国的地盘上，即在鹿上（今安徽阜阳南）。齐孝王因宋襄公辅助自己当政，欣然答应了。楚国也出于谨慎，勉强答应参加。宋襄公很是兴奋，但也充满疑虑。于是他召集群臣商量如何开好这一会盟。而宋国公子目夷劝谏说："宋国不要组织什么会盟，不然会给宋国带来祸患。"宋襄公这时正是得意忘形的时候，哪能听得进这样的建议。

在这次会盟上，宋襄公要求楚成王允许当时归附于楚国的中原诸侯国尊奉自己为盟主，而且还决定当年的秋天，在宋国的盂（今河南睢县东南）再次会盟。楚成王与其父文王、其祖武王不同，有很深的城府，也很狡猾，头脑灵活，可谓难得的政治家。他在会上爽快地答应了宋襄公的所谓霸主之要求，但当他回到楚国王宫后，大骂："宋襄公这个老不死的，竟敢胁迫我承认他的霸主地位，还一而再地召开会盟，这样不知天高地厚，我一定让他尝尝痛苦的滋味。"

当时的会盟有两种，一种是乘车之会，与会的诸侯只能带乘车去；另一种是兵车之会，与会的诸侯要带一定数量的士兵和车辆前往。这次盂之会盟，按规定是乘车之会。然而，楚成王却按照兵车之会准备，一场潜在的军事危机即将爆发。

很快会盟的日子到了，郑、蔡、陈、许、曹等应邀之诸侯国纷纷按时来到会盟地点，而楚国则姗姗来迟，齐国国君压根儿就没有露面，这让宋襄公很是愤恨，但还好有楚国这样的大国参加，也是可以的了。会盟依然由宋襄公主持。在正式开会之前，宋国公子目夷再次向宋襄公建议：“楚国乃蛮夷之地，楚人是不会时时刻刻遵守礼仪规则和会盟规章制度的，他们出尔反尔是很正常的，我们要做好必要的应对准备，加强军事力量，以防不测。”宋襄公连连摆手：“我们不要把人家想得那么坏，楚国还是讲信义的。”

于是，宋襄公大声宣布：“会盟正式开始，请大家肃静。首先请楚君登坛。”宋襄公的目的是想让楚成王主动发表承认自己为盟主的言论。可楚成王不吃他这一套，径自走向祭坛，随后一些小喽啰侯国跟随着，簇拥着。宋襄公一看这形势，赶紧拉着他的大臣们快步迈向祭坛，并且主动开始一番演说，先是赞美齐桓公的历史功绩，接着诉说自己如何帮助齐桓公稳定中原局势，最后摆出了自己要接替齐桓公继续中原的霸业，与天下共享太平之福的心思。

还没等宋襄公说完，楚成王就不耐烦了，他应声呵斥道：“你这个不知天高地厚的家伙，还敢称王称霸，今天就让你尝尝楚国的威力。”只见楚成王一挥手，祭坛四周伏兵骤起，当场活捉宋襄公。楚成王开始发话了：“请各位兄弟不要惊慌，我只是替大家出口恶气，惩罚这个耀武扬威的家伙。”楚成王当场宣布了宋襄公的六大罪状：一是趁齐国混乱之际，带兵入侵，干涉他国内政；二是滕国国君赴会迟到，他竟然对其进行羞辱；三是以人替换牲畜祭祀，这完全抛弃了以人为本的治国之本；四是曹国因一点失礼，就遭受惩罚，这完全是恃强凌弱；五是自不量力，竟然想当盟主，他有何资格；六是妄自尊大，不知廉耻。

楚国一不做二不休，押解宋襄公进攻宋国。当然，宋国也不是那么轻易被占领的。当公子目夷在混乱之际逃回宋国都城后，宋国臣民一致拥戴目夷为国君，临时摄政，以指挥大家共抗楚军的进攻。楚国想以宋襄公要挟宋国投降，但宋国臣民并不买账，继续守城誓死抵抗。连续三日，楚国都攻不下来。楚国君臣召开紧急军事会议，商讨如何处理目前的局势。有人提出干脆把这个呆若木鸡的宋襄公杀了算了，留着他毫无意义；有人建议释放宋襄公，通过政治途径解决这一争执不下的局面。最后，楚成王同意遣使到鲁国，通过鲁国来使双方和解。这样，既不丢楚国的面子，又能缓解与鲁国的紧张关系。

发生这么大的变故，鲁国国君早已得知。当楚国使者前来告知来意后，鲁国国君左右为难，不去吧，又怕楚国前来寻事；去吧，祸福难料。鲁国大夫劝说暂不要惊慌，先去看看再说。

当鲁僖公来到前线战地，那些滞留的诸侯国君就像见到了救命稻草一样赶忙迎了上来。这时，郑文公发话了："不如让楚成王做我们的盟主吧。"这一号令，让在场的诸侯国国君大惊失色。但静下来想一想这也正常，毕竟楚成王与郑文公是姻亲关系，楚成王的妹妹嫁给了郑文公，关键时刻，妹夫替大舅子说话不是很正常的吗？但这些诸侯国国君却不敢响应，当然也不敢反对，只是默默地低着头，像是霜打了的茄子。鲁国是礼义之邦，在中原诸侯中也是有一定威望的，这时也该鲁僖公出面了，于是他慷慨陈词，提出要以理服人，以德服人，靠武力是不能让人心悦诚服的。他建议楚国释放宋襄公，如此大家则愿意尊楚成王为盟主。楚成王一听，这对自己是有利的，也是给自己一个台阶下。于是，楚成王提出冬季举行会盟。后在会盟上，楚国信守诺言释放了宋襄公。

宋襄公此时是敢怒不敢言，好在他回到宋国后，公子目夷主动让位，宋襄公又恢复了国君之位，这也算是祸中得福吧。按道理，他应该知足了，但春秋战国之时，夺取话语权，尤其是政治话语权，是每一个诸侯国的梦想和目标。

就在第二年，郑文公再次朝见楚成王。宋襄公以为复仇的机会到了，率领宋、卫、许、滕四国联军攻打郑国。公子目夷认为，这次宋国真的要遭受大祸了。郑国向楚求救，楚军遂伐宋救郑。宋襄公撤退至泓水（今河南柘城北），准备与楚军决一死战。这就是历史上有名的"泓水之战"。

楚师在泓水南，宋师在泓水北。当楚师渡河时，宋国大司马公孙固对宋襄公说："楚国人多势众，作战能力强，而我们人少，兵器又弱，趁楚军还没有完全渡过河时，请您下令攻击吧。"宋襄公说道："我们乃仁义之师，不能乘人之危，这样会让天下耻笑的。”等楚师渡过河后，但还没有整好队形时，公孙固又建议说：“赶快出击吧，或许我们还有胜算。”宋襄公再次拒绝，理由同样是仁义之师不能搞偷袭那一套。一直等到楚师布阵完毕，宋襄公才下令击鼓攻击。结果很明白，宋国军队哪是楚军的对手，宋国以失败结束了这场所谓的仁义之战，宋襄公也被射中了大腿，还是大司马公孙固拼命保护才得以冲出，拖着残兵败将回到了宋国国都。楚国大获全胜。这场战争并不宏伟，却因为宋襄公的所谓仁义之师，获得历史殊荣，史家纷纷给予重墨。

宋襄公的这一行为，乍看起来确实是迂腐式的仁义，对于宋国的衰亡他负有不可推卸的责任，但如果从更为宏观的文化背景来分析，这样的做法并非偶然。早在商周时代，就出现所谓的“演兵”、“观兵”，即打仗之前，先搞一套仁义的把戏，建所谓的“礼义之军”。于是有了很多不成文的规定，比如“君子不重伤”、“不擒二毛”、“不鼓不成列”等。所谓“君子不重伤”是说敌人受了伤，就不要再攻击了；“不擒二毛”是指对花白头发的战士就不要擒获；“不鼓不成列”是说对没有列好队的敌方不可以攻击。宋襄公主要是遵守和践行“不鼓不成列”这一商周以来的文化传统，因为他的先祖乃是商之老臣。

但时至春秋战国时期，形势已发生了变化，社会处于一个急剧变革的时期，原有的文化传统遭受到激烈的冲击，新的文化形态在逐渐形成并产生影响。如果继续遵守以往的文化形式，就会带来惨败灭国的命运。泓水之战擦亮了一些诸侯国君的眼睛，他们不得不加快对旧有文化传统的革新，开创与构建新的文化体系，军事行动也由原来的陈旧保守转为灵活多变，出现了孙子这样影响后世的军事大家。从这一角度来看，宋襄公对历史的发展也不能说一点贡献也没有。

第二年夏天，这位满脑子仁义道德的一国之君，在耻辱与痛恨中，永远地离开了他的国家与人民。他所谓的霸业还没有来得及展开与享受，就像肥皂泡一样破灭了。

楚成王取胜之后，乘兴来到郑国进行国事访问。郑文公当然得隆重而热情地接待他的这位大舅子。郑文公夫人芈氏一看自己的哥哥来了，觉得脸上很风光，带着郑文公的另一位夫人前来迎接。楚成王这下可替楚国出了风头，为了炫耀和卖弄自己的战果，他命人将俘获的宋人以及从战死的宋人士兵身上割下的耳朵，在乐师的演奏下，送给两位夫人观看。这样的做法，在当时中原人看来，是一种野蛮行为。郑文公包括郑国的臣民当然对此嗤之以鼻，心里想难怪是蛮夷之地，这样的事也只有他楚国人干得出来，早晚有一天他们会自取灭亡。当然，这些话只能咽到肚子里。第二天，郑文公准备了高规格的宴席宴请这位盟主。吃饱喝足后，楚成王回到城外的营帐中。

一系列的战争和造访让这位楚国骄子楚成王大开眼界，不仅增加了称霸中原的信心和决心，也看到了中原文化的先进和楚国礼制的缺乏。由此他心中萌生了文化变革的想法。

这时的楚国，虽无霸主之名，已有霸主之实。齐国衰落了，晋国内乱，宋国遭到致命一击，郑国又俯首帖耳，诸侯暂时莫能与楚争雄。

随着晋国内乱的平息，晋公子重耳的即位，晋、楚争霸登上了历史舞台。

晋国也是西周初年分封的诸侯王国，姬姓，开国国君是周成王的弟弟叔虞，位置在今山西西南部的汾水流域，都城为唐（今山西翼县西），后又迁都于绛（今山西翼城东南）。经过十几代人的努力，春秋时期晋国已成为北方大国。

晋献公晚年，其所宠幸的爱妃骊姬为了让自己的亲生儿子登上晋国国君的位置，密谋陷害太子申生，结果太子自杀，公子重耳逃离晋国到了外祖母家翟国，那时他仅 17 岁。

他先是在翟国住了 11 年多，后又在卫、齐、曹、宋、郑等诸侯国待了 6 年多。翟、齐、宋待他以上宾之礼，而曹、卫、郑则没有以礼相待。当他到了宋国时，宋襄公觉得这位公子从面相来看不简单，日后必能成就一番事业，如果他回到晋国当上了晋国的国君，那么宋国就可以与其结盟，共同对抗楚国。于是宋襄公不仅好吃好喝好穿地招待这位晋国公子，而且临走还赠送给重耳 80 匹好马和 20 辆战车。这也说明，宋襄公并非一个碌碌无为之庸君。

公元前 640 年，重耳来到了楚国。楚成王同样把他当作贵宾款待，让其住下。一天酒酣饭饱之时，楚成王问公子重耳："如果有一天你回到晋国当了国君，你拿什么回报我呀？"重耳答道："金银珠宝、美女佳人，您的宫殿里应有尽有，象牙、皮革、鸟羽等物品，又是您的国土上生长的，而晋国的东西，也只是楚国流传后剩下的了，我还能有什么贵重的东西报答您呢？"这一番话说得楚成王心里美滋滋的，也觉得这个重耳确实不简单。楚成王继续追问："不管怎么说，这样招待你，日后怎么也得报答我吧。"重耳慢条斯理地说："如果托您的福，我能回到自己的国家当上君主，那么一旦晋、楚两国发生冲突，我会命令晋国军队后退九十里，如果您还觉得没有报答完毕，那么我们只好兵戎相见了。"楚成王一听，哈哈大笑，没有把重耳的回答当作一回事，认为只不过是饭后逗乐子。但坐在一旁的楚国重臣令尹子玉心里感到一丝恐惧，眼前的这个小子，日后很可能会成为抵挡楚国进军中原的绊脚石，甚至是一块难以搬掉的障碍。

令尹子玉，即司马成得臣。令尹子文年事已高，到了退休年龄，他就推荐这位成得臣为楚国令尹。成得臣字子玉，故称其为令尹子玉。重耳不卑不亢的回答，已经显示出这位晋国公子的称雄之气势。这让令尹子玉很不安，于是他向楚成王建议，寻找机会杀掉重耳。但楚成王并没有这样做。令尹子玉又建议暂留重耳的舅父当作人质，亦被楚成王拒绝。

没过多久，秦穆公派使者来楚国接重耳，楚成王还奉送厚币给重耳当路费，并派人护送至秦国。第二年，秦穆公以武力护送重耳回到晋国，并配合重耳杀死了晋怀公，重耳自立为王，即晋文公。在他返晋的那一年，重耳还约会各路诸侯，平定了周王朝内部的叛乱，恢复了周襄王的王位，取得了尊王的政治资本。同时，他执政后大力改革弊政，发展经济，不断创造争霸的条件。

公元前 636 年（楚成王三十六年），宋襄公的儿子宋成公继位后，亲赴楚国国都，朝见楚成王，以示和好。公元前 634 年(楚成王三十八年)，宋成公因其父宋襄公曾向晋文公表示过友善，而背弃楚国，投靠了晋国。宋成公的这一转变，让楚成王很是恼火。公元前 633 年（楚成王三十九年）冬，楚国联合陈、蔡、郑、许四国包围了宋都。宋成公赶紧派人向晋文公求救。

宋国对于晋、楚而言，都是非常重要的防守屏障，因此双方都很重视。晋国不会坐视不管，楚国也不会轻易放弃攻打。于是，晋文公召集大臣们商议对策。大臣先轸说："我们出兵解救宋国于危难之中，不仅可借此机会报答宋国当年的惠恩，亦能壮大晋国的声威，稳定中原秩序，建立晋国的霸业。"晋文公倒有些顾虑，他说："楚国对我也是有恩的，且楚国是南方强国，晋、宋之间又隔着曹、卫这两个楚国的盟国，一旦发生征战，我们会面临腹背受敌的境况。"而大臣狐偃忙说道："这好办，曹国刚刚附从于楚国，卫国国君的女儿刚刚嫁给楚成王，如果我们进攻曹、卫两国，楚国一定前来解救，这样就可以解除楚国对宋的围攻，同时也避免了我们与楚国的直接接触。"

于是，晋文公与大家拟定作战计划，主要是兴师问罪于曹国，而借道卫国，如果卫国不同意，就先攻打卫国，然后讨伐曹国。

第二年春天，晋文公亲率大军向卫国进逼。卫国国君也知道当年没有好好款待这位公子，现在他是借机报复来了，即使让道也避免不了一战，况且让道会得罪楚国，到时会面临两面不讨好的境地，干脆拒绝让道。晋军势如破竹，又联合齐、秦，与之结盟。一看这阵势，卫国国君一度向晋国求和，要加入晋国的联盟，但被晋文公严词拒绝。卫国国君胆战心惊，准备逃往楚国。但卫国臣民不愿意看到自己的国君流亡异国他乡，于是他们把卫国国君转移到卫国的一个边城，以向晋国示好，求得和解。

而曹国国君一看卫国求和不成，干脆拼死抵抗，倒也落得一世英名。晋军打得很艰难，死亡不少，曹国把这些晋国战死之躯陈列在城墙上，以示恐吓。这更加激怒了晋军，扬言要杀掉所有的曹人，且挖掘城外曹人的祖坟。曹人感到有些害怕了，于是他们用棺材把这些尸体运出城外，晋军借机冲入城内，俘虏了曹国国君。

当曹、卫危急之时，楚成王亲率一部分军队前往救援，留下一部分由令尹子玉指挥，继续攻打宋国。宋国又派人向晋国求救。晋文公心想，如果不去救宋国，宋国真得倒向楚国，这对晋国争霸极为不利。正在左右为难之际，他的一位大臣提出了一个好办法，即可以先让宋国假装离开我们，送物品给秦、齐两国，由秦、齐两国出面请楚国退兵，楚国肯定不会轻易放弃宋国，这样楚国就会得罪秦、齐两国，然后我们再点一把火，把曹、卫的一部分土地分给宋国，这样楚国更加憎恨宋国，必然不会退兵，这样楚国与秦、齐的矛盾更加突出。而秦、齐拿了宋国的厚礼，必然会解救宋国，这样我们可坐收渔翁之利。

楚成王听说秦、齐倒向了晋国，于是赶紧命人通知令尹子玉撤退，不要和宋国再纠缠了。但令尹子玉这个人，比较固执，当他得知晋国把曹、卫的一部分土地送给宋国后，非常恼火，拒绝秦、齐的退兵请求，发誓一定要把宋国给灭了，要与晋国血战到底。他向楚成王请战，要求支援部分军队。楚成王一看一时无法让这头愤怒的公羊回头，只好给他 200 辆战车和少量士兵。

楚军将领宛春向令尹子玉建议：“晋国将曹、卫的土地分给宋国，目的是为了稳住宋国，不使其倒向楚国。我们也可以仿效他的这一做法，提出只要晋国恢复曹、卫两国的土地，楚军就撤退。这样，曹、卫两国会感到我们是想着救他们的，必定更加服从于楚国。如果晋国拒绝这一请求，不但曹、卫不满，那么宋国也会怨恨它的。”令尹子玉一听，很有道理，便派宛春去见晋文公。

晋军将领狐偃一听，气愤地说：“想拿解除宋国之围换取曹、卫两国的复国，楚国也太会算计了吧。”先轸看破了楚军的计谋，说道：“我们可以私下同意曹、卫复国，但曹、卫必须同楚国绝交，这样曹、卫两国会感谢我们，同时扣留宛春，激怒令尹子玉，让他找我们作战，这样宋之围也就解除了，宋国也因此会感激我们。而令尹子玉的狂躁会使其指挥失当，这样晋国必定胜利而归。”晋文公采纳了这个建议。

令尹子玉一听宛春被扣，又收到曹、卫两国的绝交信函，恼羞成怒，立即下令，调集围宋的全部军队，前往与晋国决战。

晋文公按照当年与楚成王的约定，让自己的军队退避三舍。这时，宋国也派部分军队参加作战，秦、齐的支援部队也来了。于是在晋文公的率领下，四国联军驻扎在一个叫城濮（今山东鄄城西南）的地方。历史上著名的城濮之战就这样开始了。

对于退避三舍，晋军诸多将士都不明白，待战后才知晋文公的真正用意。其一，可以报答当年楚国知遇之恩；其二，可以接近晋国国土，得到后方给养；其三，可以更好地解除楚军对宋的围攻。

由于令尹子玉的固执和鲁莽，这场大战以晋国胜利、楚国失败而告终。令尹子玉直到最后才醒悟过来，但为时已晚，他只能以死谢罪。

这场战争的直接交锋实际上只持续了一天，但这是晋、楚争霸的关键性战役，也是一场关系中原地区局势的重要战役。晋国胜利后，声势大振，原来依附于楚国的一些中原小国，也站到了晋国一边。晋文公还想办法让周天子亲自来到践土（今河南永泽西北）这个地方慰问前方征战的将士。

晋文公率领齐、鲁、宋、蔡、郑、卫等诸侯，列队迎接周天子，并以诸侯领袖的身份主持大会，约定：各路诸侯要尽心维护周王室，不要互相争斗，团结一致，如果违背盟约，神灵是不会宽恕的。践土会盟之后，晋国成为名副其实的中原霸主。

早在公元前635年（楚成王三十七年），秦、晋就联合攻打秦、楚之间的一个小国鄀。鄀先前是附属于楚国的。起初楚人并不在意，认为这是边境的一般军事冲突，只派边境的申县与息县两县的武装力量前往戍守。而秦国军队以狡诈之法偷袭了两县之楚师，令尹子玉听后很是愤怒，派兵追击，可惜秦师早已撤退。这是秦、楚两国初次交锋。其中，晋国虽然只是起了一个配角的作用，但可见晋国与秦国走得更近了。

公元前634年，齐多次伐鲁，鲁国只好向楚求救。经鲁国使臣的软磨硬泡以及鲁国自请做楚国伐齐的向导，令尹子玉最后答应出兵救援。

令尹子玉是一位令人敬畏的将才，治军颇严，但重枝节而抓不住根本。为了伐宋，楚成王先派前任令尹子文阅兵，接着又派现任令尹子玉阅兵。令尹子文仅用了一个早晨，也没有惩罚一个士兵，就完成了检阅军队的任务。而令尹子玉却用了一整天，还责罚了十多个士兵。一些老臣曾向令尹子文道贺，说他推荐令尹子玉是知人善任，但有一位楚人不仅不向令尹子文祝贺，还说子玉既不适合带兵打仗，也不适合辅助君王治理国家。这一言论，日后果真得到了验证。

虽然晋国经城濮之战取得了霸主地位，但也是昙花一现，好景不长。仅仅4年后（公元前628年），晋文公这位传奇人物就离世了。在其离世前，晋文公做了一件有意义的事情，即推动晋、楚和好。

晋文公虽然在位只有短短9年，但他在当时中原诸侯间的声威可与在位长达43年的齐桓公媲美。他在位期间，只做了两件大事：一件是率领诸侯帮助周襄王复位，这赢得了尊王的政治话语权，直接抓住了春秋时期争霸的核心；另一件就是城濮之战的胜利，打败了南方大国楚国这个北上中原争霸的竞争对手。再加上他长达20年的流亡生活，既历练了他的政治智慧，也积累了丰富的政治经验，更为重要的是扩展了他在各诸侯国间的影响力。我们说他是当时政治家的传奇，一点都不为过。当然，他也有自身的弱点，即太过势力，睚眦必报，翻手为云，覆手为雨。他离世后不过半年，他的手下就伏击了从郑国返回的秦师，这可是晋国当年争霸的得力助手。真可谓无永久的敌人，亦无永久的朋友。

楚成王的晚年可谓厄运连连，这时的他可能真的老了，听信佞臣这一政治家最大的忌讳，在他身上接连上演，最后竟招来杀身之祸。

公元前627年（楚成王四十五年），新的令尹子上上任。在确立楚王继承人上，令尹子上是不同意太子商臣接任王位的。因为他觉得，这个太子生性残忍，如豺狼般凶恶，不是理想的治国之才。由此，令尹子上与太子有了很深的积怨。在晋国攻打蔡国时，令尹子上率军前往救援，两军对峙，都不愿先渡河，最后各自撤退。太子商臣于是向其父楚成王进谗言说，这是令尹子上收受了晋国大夫的贿赂而故意撤退的。这时楚成王已老眼昏花，听信了太子的谗言，于是派人送给令尹子上一把宝剑，意思很明白，就是让子上自裁，留一个全尸，也算是君臣一场。子上含恨自杀。后来，与子上一同作战的将士告诉楚成王真相，楚成王痛哭流涕，大骂自己的孽子商臣，对他厌恶至极。

楚成王越来越发现自己的这个孽子确实是一个豺狼，根本不把他这位老子放在眼里。于是，楚成王打算立他的另外一个儿子职为太子，废黜商臣。这也算是楚成王临终前的醒悟，可为时已晚。全朝上下布满了商臣的眼线，他迅速得到了这一信息，但还不敢十分肯定。为了准确掌握太子废立情况，他向他的老师潘崇请教如何才能把事弄清楚。潘崇说："你的姑姑江芈（楚成王的妹妹，后嫁给江国国君，故称江芈）与你父亲关系非常好，她应该知道。你设宴款待她，但不敬重她，甚至有些刁难，这样她会大发雷霆，一怒之下就会把真相说出来。"于是，商臣就按老师说的请姑母前来赴宴。江芈一听自己的侄子要请自己吃饭，又可借此机会去看看自己的哥哥，很是高兴。当江芈兴高采烈地来到宴会厅，竟然只有一个侍从站在那里。等了半天，商臣才晃晃悠悠地来到大厅。在吃饭时，商臣对姑母很不友好，甚至有些不敬的言论。江芈越想越生气，早就想教训教训这个不孝侄子，于是破口大骂："你这个不是东西的家伙，难怪君王要废黜你而另立王子职为太子，你要是真当了楚王，楚国可得遭殃了。"说完，气呼呼地离开了。商臣哈哈大笑，他要的就是这句话。但接下来怎么办，这个根本不懂政治的人还是把目光飘向自己的老师。

潘崇心里明白，于是他说："太子你愿意服侍你的弟弟王子职吗？"商臣回答："当然不愿意。"潘崇又问："你能逃出楚国吗？"商臣说："我干吗要逃离我的国家，我还想称王称霸呢。"潘崇说："好，太子既然有这么大的志向，那我们就得干一件大事。"于是，商臣与这位奸佞之师开始谋划一场惊天动地的宫廷之变。

就在一个漆黑的夜晚，楚成王早早睡下，他真的累了，几十年的政治生涯和军旅生活，让这只雄鹰无力疯狂了。夜很静，静得让人喘不过气来。忽听外面有匆匆的脚步声，而且越来越密集，楚成王感觉不妙，但还没等他起来，已有人把刀架在他的脖子上了。灯点亮了，他抬头一看，果然是自己的孽子商臣。最后，这位叱咤风云、不可一世的南方霸主，就是在自己亲生儿子的威逼下，无可奈何地用一根绳子结束了自己的生命。在死前，他还想再吃一个熊掌，但就是这一点小小的要求，也遭到了儿子的拒绝。当楚成王自杀时，藏在宫殿后面的江芈突然冲出来，趴在哥哥身上大哭，并高喊："哥，是我害了你，要不是我把你的谋划告诉这个孽障，你就不会这样死去，干脆我也不活了。"潘崇等人一不做二不休，令兵士像对待楚王一样，让江芈随同哥哥走向了另一个世界。

楚成王在位 46 年，这期间，他与中原地区的三个霸主交过手。他先是成功地应对了齐桓公这个东方霸主，举行了召陵之盟。接着打败了自以为是、得意忘形的宋襄公，取得了泓水之战的胜利。对于晋文公这个北方霸主，虽然城濮一战以楚国的失败而告终，但却揭开了晋、楚百年争霸的序幕，为自己的子孙留下了宝贵的争霸经验。

纵观楚成王的一生，值得楚人自豪与骄傲。他面对复杂的外部环境以及强大的竞争对手，冷静自若，善于抓住有利时机发展壮大楚国的实力和声威，让楚国在入主中原、进军中原文明的道路上又迈进了一大步。可以说，楚成王在楚国历史上是一位非常了不起的政治人物和统治者。

商臣逼死父亲后，自立为王，即楚穆王。上台的第一件事，就是论功行赏。首先，封自己的老师潘崇为太师，负责指挥宫中警卫队，并赐予大量财物。

商臣为何能这么轻而易举地包围王宫，逼死父亲呢？这还得说一说若敖氏家族在楚国的地位和发展。楚成王是若敖氏拥立的，性情温和的令尹子文，对成王毕恭毕敬、忠心耿耿，君臣相处非常融洽。而到了令尹子玉，虽然仍对成王效忠，但似乎已有了隔阂，甚至在不经成王允许下，敢于擅自发号施令。这让成王心里感觉不舒服，也与若敖氏的矛盾加深了。城濮失败，令尹子玉引咎自杀，从此，若敖氏对成王更为不满。而商臣早在城濮之战时，就曾派人支援过令尹子玉。若敖氏对其的印象要好于成王。因此，在商臣起事时，若敖氏袖手旁观，成王成了孤家寡人。

楚穆王在位 12 年，曾吞灭一些小国，北方的陈、宋、郑等一度归附于楚国。公元前 614 年（楚穆王十二年），楚穆王去世，他的儿子侣继位，是为“春秋五霸”之一的楚庄王。

商臣极度的贪婪和残忍在楚国历史上留下了灰色的一笔。芈姓的贵族面临一场严峻的生死考验。经商臣这么一闹，楚国的霸气大减。楚穆王和他的老师也都明白，面对国内的诸多大姓贵族，稳定才是压倒一切的大事。对于楚穆王来讲，他向往的只是安安稳稳过日子，这一点历史给予了他，让他得以善终。还有一点值得他骄傲的，是他为楚国留下了一个称霸的儿子，这或许是他没有想到的。

楚国历史上不乏篡位者，既有子弑父，也有弟弑兄。可以说，王位来得很不光彩，在我们当代人看来，令人发指，也让人厌恶。但正是这些篡位者中的国君，为楚国的扩张打下了坚实的基础，特别是楚武王，后世对其评价很高，如果没有楚武王、楚成王等人的称雄，就不会成就楚庄王的霸主地位。

自楚武王以来，楚国之所以能不断进逼中原，有称霸中原的趋势，其中一点就是楚国具有独特的自然财富。当年晋公子重耳回答楚成王的提问时，提到楚国的财物可谓应有尽有，这其实并非夸大其词。事实上，楚国的铜、锡在当时来讲，是最为丰富的。无论从数量，还是规模，都超过了任何一国。考古所发现的铜矿遗址，表明春秋时期楚国的采铜、炼铜工艺达到了当时世界的最高水平。

还有一点，就是楚国对待外来事物，只要能为我所用，就积极吸收，体现一种开放的文化精神。在湖北襄樊市山湾的春秋楚墓中，有邓公乘鼎出土；在河南淅川县下寺的春秋楚墓中，有巴式剑、蔡侯簋和吕王钟等出土。这些不同国属、不同族别的器物出现在楚墓里，可见楚人对待他国文化是不抱偏见的。不单是简单的采纳与效仿，而且还具有强烈的创新精神。早在武王、文王之时，北方青铜器就不再是楚国最为青睐的东西了，他们一边继续吸纳北边来的青铜实物，一边根据自己的审美和生活品味进行创新。比如鼎这一北方最为常见的青铜器物，凡圆形者必圜底，只有个别方形者为平底，且不束腰，而楚人的升鼎虽为圆形，却是平底而束腰，立耳外撇，器周有六只或四只攀附的异兽，形制特异。

外求诸人以博采众长，内求诸己而独创一格，这是楚国青铜器的发展道路，亦是楚文化的独特风格。

第三章

亮剑：雄踞大江南北的盛世豪情

“天下之事尽在楚”，这是楚国君民的豪言和自信。几代楚君戎马倥偬，南征北战，敢于与中原强国晋国争霸。观兵周疆，问鼎轻重，这是中国历史上的一件大事，它标志着南国之楚已深入中原，深刻地影响着中国历史与文化的发展。又一个百年，楚国称霸中原，威播四方，其霸业进入了鼎盛时期。

一、观兵周郊，问鼎轻重

楚穆王即位后，只想着过安稳日子，甚至对太子的教育，也懒得花心思。可人家的孩子偏偏能够成就一代霸业。

按照王宫惯例，新任国君在太子接受教育之时，要遴选所谓的师傅，即老师。楚穆王为太子侣选的两位老师，都是他不信任的人，一位是子仪（斗克），即申公，早年被秦师俘虏，后又被释放归国；另一位是王子燮，他曾想当令尹，但被穆王否决。二人都心情不快，整日郁郁寡欢。公元前 613 年，即楚庄王元年，这两位老师趁着潘崇和令尹成嘉前往攻打他国时，发动叛乱，扬言潘崇等人有罪，他们起兵是为了讨伐奸佞之臣。二位老师一方面派人刺杀令尹成嘉，一方面挟持自己的学生楚庄王逃离国都，但没走多远就被部下杀死，庄王重新回到楚国国都。这时，楚庄王年仅 20 岁，但他是一个很有城府的人，做了一件让楚国臣民惊愕而忧心的事。

楚庄王此时心里很明白，自己的威信还没有建立，再加上父亲是弑父而夺得王位，楚国一些大姓贵族已对王位虎视眈眈。而自己的两位师傅又火上浇油，恰恰这时发动叛乱，他感到一丝丝恐惧。如何才能保住自己的王位，如何才能实现心中的理想？只有等待时机，才是目前唯一的出路。于是，楚庄王开始了三年荒淫无度、不理朝政的昏君生活。

他只顾纵情享受，要么带领王宫侍卫到云梦这个仙境打猎玩耍，要么在宫中花天酒地，歌舞狂欢。整天浑浑噩噩，沉浸在一片声色之中。起初，大臣们仍每天朝见奏事，但楚庄王对任何事都不关心，也不过问，报告完后就一挥手罢朝，继续玩乐，甚至还没等大臣全部离去，就开始与宫中侍女、歌女卿卿我我，颇失大体。他也不发号施令，常常交由大夫们处理一些军政大事，仿佛自己根本就不是一个国君，也当不了一个国君。朝中的一些忠臣与有识之士，看到这样的局面很是痛心，担心楚国的命运就这样毁在一个无用之君手中。他们纷纷上朝劝诫，可楚庄王并不买账，反而责怪这些大臣多事，打搅了他的兴致。后来他干脆下了道圣旨："以后谁敢进宫劝诫，我就砍了谁的脑袋，决不赦免。"

就这样三个年头过去了，楚庄王还是吃喝玩乐，无心关注朝中大事，根本没有任何悔改之意。朝廷乱成一团，大家也不按规则行事。曾有叛乱，幸好被一些忠诚的大夫给平定。这时，原来依附楚国的陈、郑、宋等国也纷纷背弃楚国，而倒向晋国。公元前 613 年（楚庄王元年），晋与鲁、宋、郑、陈等国在宋国结成新的联盟。楚国已处在一个内忧外患的时刻，如果再这样发展下去，国家社稷即将不保。

大夫伍参实在看不下去了，他冒死进宫前来劝诫。当他走进这座豪华的宫殿时，觉得有些陌生，往日君臣协商国事的地方，今天竟成了国君淫乐的场所。楚庄王左手拥着从郑国娶来的姬妾，右手抱着来自越国的美女，根本没理会伍参。伍参强忍着悲痛和愤恨，笑呵呵地来到国君面前。楚庄王瞟了这位老忠臣一眼，不耐烦地说："你不怕杀头吗？我不是已颁布命令不允许任何人进来打扰我的吗？"伍参慢条斯理地说道："我怎敢前来打扰您的美梦呢，我这次来是想请您猜个谜语，给您的生活增添些情趣。"楚庄王说："那你说说看。"伍参说："高高的山上有只鸟，三年不飞又不鸣，这是一种什么鸟？"楚庄王略一沉思，答道："三年不飞，一飞冲天；三年不鸣，一鸣惊人。此鸟非凡鸟，我知道了，你下去吧。"伍参连忙说："还是大王英明，不过依愚臣之见，此鸟不飞不鸣，恐怕会遭受猎人的射击。"楚庄王没有再说什么，连连摆手，示意他下去。

伍参很高兴，他感觉楚庄王话中有话，就赶忙把这一好消息告诉了大夫苏从。两位大臣高兴得手舞足蹈，他们觉得这是上天赐给楚国复兴的机会，三年啦，他们从未像今天这样高兴过。

过了几个月，楚庄王仍没有召集大臣商议朝政。大夫苏从有些不放心，觉得伍参在故意哄骗他。于是，苏从来到王宫，眼前的一幕让他惊呆了，楚庄王正和几个美女嬉戏逗乐，连正眼都不瞧他一下。气急之下，苏从上前呵斥道："大王身为楚国一国之君，继位三年，不问朝政，不关心人民疾苦，长此下去，楚国快要亡了。"楚庄王一听亡国之言，腾地跳起来，拔出宝剑，指着苏从的鼻子大声吼道："你说什么？是不是不想活了？"这时宫殿里的气氛顿时紧张起来，吓得宫女们也不敢嬉笑了。而苏从并不惧怕，他义正词严地说道："如果大王把我杀了，能够唤醒大王这只沉睡的雄鹰，重新振作起来，以国家为重，以社稷为重，那我也值了。"相互对峙几分钟后，突然只听"咔嚓"一声，旁边的宫女们吓得魂不附体，苏从心想：完了，我就这样去见先王了，但又感觉自己的脑袋似乎还在脖子上，睁眼一看，原来是楚庄王收回了宝剑。苏从也吓出了一身冷汗，谁也害怕死亡啊。只见楚庄王扶着苏从的肩膀激动地说道："好啊，你真是我的忠实之臣，也是我们楚国实现霸业的社稷之才啊。"他一挥手，示意这些宫女们统统下去，他与苏从坐下来，进行了一番畅谈。

不谈不知道，谈了才明白。原来楚庄王是在积蓄力量，麻痹楚国的大姓贵族。这三年来，楚庄王并非不问朝政，其实他对楚国内外了如指掌，形成了自己的一套治国方略。这让苏从大吃一惊。

楚庄王即位时还年轻，国内外局势比较复杂，尤其是国内若敖氏贵族势力强大，骄横跋扈。这就需要他丰满自己的羽翼，培养一批忠实之臣。他下令进入宫中打扰者斩，其实就是想考察大臣的忠诚度。通过三年的观察，楚庄王明白了哪些是他可以委以重任的大臣，哪些是日后需要铲除的奸佞之臣，特别是他成功地麻痹了贵族们的思想。公元前612年，即他继位第二年，晋国攻打蔡国，这显然是在楚国家门口寻衅滋事，但他看到楚国大夫们并没有去支援蔡国，可见执政大夫已无心远虑了。

对于这三年的苦衷，也许只有楚庄王一个人心里明白，在默默承受、煎熬。西汉一位思想家贾谊对这位伟大的政治家给予了理解："昔楚庄王即位，自静三年，以讲得失。"

第二天，天还没亮，大夫们纷纷收到上朝的命令，一时不知发生了什么事，有的还以为楚庄王病故了，有的以为发生叛乱了，总之大家的想法千奇百怪，赶紧穿好衣服，看个究竟。当然，对于苏从和伍参而言，他们心里是乐滋滋的，楚国的天终于亮了起来，楚国的人民也终于盼来了黎明和曙光。

楚庄王召集文武百官开会，任命伍参、苏从等一批忠臣和有胆略之人担任朝中的重要职务，削弱了若敖氏等大姓家族的力量，还下令严惩了几个为非作歹、草菅人命的不法分子。从此，楚庄王再也不是以前的那个花天酒地的小伙子了，他长大了，开始整顿朝纲，历练兵马，发展生产。

当然，任何事情并非想象得那么简单。公元前611年，即楚庄王三年，也就是他开始治理朝政的那一年，楚国发生了严重的灾荒，老百姓饿死了不少。然而谁也不曾想到，正是这场天灾帮助了楚庄王，帮助了楚国。

这时楚国周边的几个部族前来攻打，楚国陷入四面包围之中，情况万分危急。楚国的执政大夫惊慌失措，乱了分寸，不知如何是好，有人提出迁都避免这场天灾人祸。是明主，还是庸君，这是检验楚庄王最好的时机，亦是他展示自己才华和提升自己威望的绝好时机。

大夫为贾认为，不能迁都，他们能去的地方，敌人也能去，当前最好的策略是攻击庸国，因为庸国是这次周边部族叛乱的核心，又是楚国西面最大的一个邻国，如果庸国被平叛了，那么其他部族自然就会听命于楚。楚庄王听从这一建议，决定伐庸。同时，他关闭申县和息县的北面城门，以防中原诸侯国乘机入侵。

他命当初解救自己的戢黎为兵马大元帅，这意味着从兵权上削弱旧贵族的势力。这个戢黎是个贤臣，但不是良将，起初楚军有些失利，但他善于听取好的建议。当遇到阻力后，部下提出暂让庸国取胜，这样他们就会骄傲懈怠，到那时楚军再回头攻打，必定取胜。戢黎听从了这一策略，故意让楚军七战七退，结果庸军以为楚军不堪一击，只派有限的力量追击楚军。而这时楚庄王随同主力赶到了前线，同时他已派人说动了秦师协助攻打，笼络了叛乱的部分部族，使庸国陷入孤立状态。楚庄王一声令下，在秦师的配合下，一举歼灭了庸国。

此次胜利，意义重大。一是让国人真实地看到了这位楚国的雄主，楚国国人更加团结，更加忠实地拥护楚庄王；二是大败庸国不但粉碎了包围，改变了被动局面，使楚国转危为安，而且使得楚国的势力深入到鄂西北地区，逼近晋国，并争取到了秦、巴等国的外援，改善了楚国的外交环境，有利于与晋国的争霸；三是借这次战争转移了国内灾害的危机，暂时稳定了人心。

自从消灭庸国以来，楚庄王励精图治，赏罚严明，整顿内政，提倡勤俭精神，重视生产发展，号召全国臣民共渡难关，并以身作则。他经常下到基层视察，勉励百姓说："你们过得很辛苦，很不容易，大家受累了，我们要坚强地活下去，要活得更好，这需要我们勤俭节约，辛勤劳动。"他还以先祖乘柴车、穿破衣开辟山林的精神鼓励大家。在困难时期，最高统治者的慰问和鼓励，在百姓的生产和生活中是一股强大的推动力量。

楚庄王还比较注意国内社会秩序的稳定，遇上冬天下雪，他就从国都府库拨出一批粮食分给饥饿的百姓们。这样的行为，与争霸对手晋国国君相比，实乃天壤之别。当时的晋灵公为了在宫殿的墙壁上绘上美丽的图画，竟不顾国库空虚，强征税收，给百姓带来了无尽的灾难。为了取乐，他站在高台上用弹弓弹射台下的人们，看到他们躲闪与惊慌失措的样子，晋文公很是开心。这样的国君，怎么能不遭受百姓的唾弃和谩骂，又有多少人忠实于他？

争霸就要打仗，打仗就需要勇士，需要一支能征善战的部队。这一点，楚庄王很明白。于是他时时告诫将士，不要因为打了几次胜仗就骄傲自满，要提高警惕，备战备荒，加强训练。他对兵制进行改革，规定军队行进时，右军保护主将的车辕，左军搜寻粮食草料，前军以旌旗开路，侦察敌人的活动，主将居于中军谋划指挥，后军殿后。各军根据不同的旗号分别行动，灵活作战。他对国君直属的警卫部队也作了调整。春秋时期，攻打主要是以战车为主，四马架车，在广阔的平原上可以驰骋，速度快，冲力猛。但如果遇到丘陵或山沟，战车就失去了它的优势。楚庄王对此进行了改进，形成了楚国自己的独创战车，可在平原上快速行进，也可越过山坡，被称为“楚车”。

郑国是春秋时期一个可爱又可恨的诸侯王国。虽然在楚国危难之时，它倒向了晋国，但这不是一种常态。公元前608年（楚庄王六年），郑国看到楚国又强大起来，于是背弃晋国投靠了楚国。这年秋天，楚、郑联合伐宋、陈，大获全胜。晋与宋、陈、卫合兵攻打郑，郑向楚告急。楚派兵救郑，晋师失利。公元前607年（楚庄王七年）春，郑伐宋，胜利而归。秋，晋又率领陈、卫、宋攻打郑国，楚师救郑，而晋师引退。晋灵公也因暴虐，被臣民所杀。

而东方的齐国，也与晋国一样，出现昏君，朝政混乱。这样，原先可与楚国争霸的敌手，现在都无法与其抗衡，当时的“国际”环境为楚国北进中原提供了绝好的机会。

经过几年艰苦的努力和经营，楚国出现了富国强兵的大好局面。楚庄王心想，是时候北上中原，争夺霸主了。首先，他拿周天子开刀，要学习中原一些霸主“尊王攘夷”的战略战术。

公元前606年（楚庄王八年），楚庄王亲率大军攻打离洛阳很近的一个戎族。双方并无冤仇，楚国的这次行动，是醉翁之意不在酒，真正用意是借伐周天子都城旁边的小部族，试探中原的反应和态度。楚师在此地晃了一圈，就开拔到伊水与洛水之间的周都南郊举行盛大的阅兵仪式。鼓声震天，喊声动地，好不威风。楚庄王亲自检阅部队，显示威武的军容，谁都能看出来，这是在向周天子示威。

这对中原诸侯而言，是想也不敢想的事。这种狂妄、天真的举动，也只有楚庄王才做得出来。时任周朝国君的周定王忐忑不安，忙派能言善辩的王孙满前往慰问楚庄王。

王孙满来到楚营，一看楚军阵容，心里暗暗钦佩：这支军队真的了不起，难怪偏居南方一隅的楚国一次次入主中原，试图争夺霸主。他见了楚庄王，嘘寒问暖，以表周天子对楚国及楚王的问候和关心，并把周天子赠送的礼物让人呈上。在座谈中，楚庄王问道：“请问阁下，听说九鼎在中原来说，是象征周天子权力的东西，那么九鼎轻重如何？我们楚国随便折断一支戟的刃口，就可以铸造九鼎。”王孙满是一位机智善辩之人，他一听楚王的这番问话就明白楚国的真正来意，那就是胁迫周天子承认楚国的霸主地位，甚至有取代周室的野心。于是王孙满不紧不慢地答道：“天子的权力在德而不在鼎本身。古时夏禹有德，九州的各小国和部落进贡青铜，铸造成绘有鬼神和方物的九鼎，让百姓拥护禹。后来夏桀昏乱失德，这个鼎就转移到商人手里。商纣王暴虐，鼎又转移到周人手中。德行光大，鼎即使又轻又小，也是贵重的；德行渺小，鼎即使再重再大，也会失去的。周代可以传三十代，享国七百年，这是天的旨意。现在周天子的权力虽减弱，但天命没有改变。再说，象征周天子权力的九鼎，是不能随意询问的。”

王孙满的这一番言论，让楚庄王感慨颇多。楚庄王伟大就在于此，他善于吸纳有利于自身的任何建议和言论。通过与王满孙的这一番谈话，他明白两点道理：一是尽管目前周天子的实力和威望有所下降，但周天子仍为天下共主这一传统政治观念还是深深印在中原人的心中的，“尊王攘夷”是争霸的必备条件；二是要想称霸，进而征服中原，就需要恩威并用，文武兼修，单一的武力是不可能横行一世的。他觉得这次虽然没有得到周天子的亲自召见，当然也没有得到周天子正式承认楚国的霸主地位，但他没有白来，收获很大。

楚庄王打道回府，从此改变了策略，树立起“尊王攘夷”的旗号，以楚国强大的武力为基础，恩威并施，称霸中原。

楚庄王观兵周郊，问鼎周室，迅速在北方诸侯国中传开了，这让齐、晋这些昔日的霸主争夺者噤若寒蝉，顿生恐惧。

虽然在“国际”争端上，楚庄王取得了一系列成就，雄心壮志不断喷发，但在国内，他却面临一场危机与生死的考验。

若敖氏是楚国一支势力很强的贵族，始祖若敖是西周末年楚国国君熊咢的儿子，楚武王的爷爷。若敖在位27年后死去，按照楚国的习惯，国君或大贵族死后没有谥号的就被称为“敖”，敖是“豪”的意思，即所谓的酋长一类。因他死后葬在“若”这个地方，故称“若敖”。上面所讲到的楚武王时期的斗伯比，其子斗子文，在楚成王时期任令尹二十多年。子文还有个弟弟叫子良，当过楚国司马，子良的儿子叫子越，是个野心很大的人。据说他出生不久，子文就看他不顺眼，觉得这个侄子有熊虎之状、豺狼之声，以后必定给若敖氏家族带来灾难，建议弟弟杀了他。这未免也忒狠了点，但事实证明子文是有远见的。当然，他的弟弟不会无缘无故亲手杀死自己的儿子。

子文死了以后，他的儿子子扬（斗班）当了令尹，子越当了司马，为贾为工正。为贾也是楚国的一大贵族，他是楚国先君蚡冒的后裔，却长期屈居于若敖氏下，早已不满。公元前605年（楚庄王九年），子越为了争当令尹，唆使工正为贾诬陷子扬，结果子扬被楚庄王处死。这样，子越当上了令尹，为贾为司马。为贾为了打倒若敖氏家族，向楚庄王进谗言，说了一些不利于子越的话。不久，子越怕事情暴露，又杀死了司马为贾。但没有不透风的墙，要想人不知，除非己莫为，有人把事情真相告诉了楚庄王。子越害怕，率领若敖族人驻扎在一个叫蒸野（今河南新野）的地方，准备发动叛乱。

若敖氏的势力很强大，这一点楚庄王很清楚，而且他也不想引起国内更大范围的骚乱。于是楚庄王派人与子越谈判，保证不杀他，而且还把芈氏家族的子孙送几个给子越当人质，但子越并不领情，拒绝和解。

既然你不仁那我就不义，楚庄王心想，在我上台时，你若敖氏就蠢蠢欲动，执掌大权，企图控制整个国家，一直都是楚国前进的巨大隐患和绊脚石，我已给足你们面子和机会，是你们若敖氏不懂得珍惜，那就别怪我无情无义。于是，一场轰轰烈烈的镇压叛乱的运动展开了。

楚庄王亲自率领军队前往镇压，与子越叛军在皋浒（今湖北襄阳西）这个地方进行了决战。楚庄王亲临指挥，子越向他连射两箭，险些射中。国君率领的士兵有些害怕，都开始往后撤退。就在这千钧一发之际，楚庄王急中生智，派人在军中喊话："子越所用的箭是偷盗我们先君放在武库里的三支中的两支，现在他已用完，我们不用害怕了，大家快冲啊。"楚庄王亲自击鼓，士气大振，一举击溃了子越叛军。子越本人被楚庄王手下的一个神箭手射死。

楚庄王胜利回到都城后，马上布置警卫队抓捕若敖氏整个家族的人，这是按照一人犯罪株连九族的规矩行事。

让若敖氏庆幸的是，子文的孙子克黄活了下来，因为镇压时他正好奉命出使齐国。在回楚国的途中，他听说了叛乱的事，有人劝他不要回去，赶快逃跑吧，但他认为国君的命令不能违抗，他要回去复命。楚庄王想起子文对楚国的忠心和贡献，不忍心杀死这个唯一的若敖家族后代，特意赦免了他。

就这样，楚庄王终于消灭了这支强大的叛逆势力，剔除了这一巨大的威胁。当然，从整体来看，若敖氏的诛灭，给楚国也带来了一时无法弥补的伤痛，因为这支力量无数次帮助楚国赢得胜利，可以说是楚国的战神，战神的毁灭，也把胜利一并带走了。楚国要想取得更大的胜利，就需要下一个战神的出现。

镇压了若敖氏叛乱，等于除掉了楚庄王执政道路上的最大毒瘤。这使楚庄王格外高兴，三年来的苦难和煎熬终于结束了，该是自己发威的时候了。于是他召集众臣，大加封赏，并宴请有功之人。满朝文武边谈边喝，整整一天，他们有的已酩酊大醉，有的继续喝。楚庄王为了给大家助兴，让自己最宠爱的美人许姬给各位大臣、贵族敬酒。她端着金光熠熠的青铜酒樽，给每位参加者斟酒。丰满的体态，轻盈的扭动，纷飞的芳香，让很多人神魂颠倒。不料，一阵轻风把宫殿里的灯火熄灭了，只有朦胧的月光照射在这位美丽的女子身上，让她更加动人。就在这时，一个身影穿了过去，许姬忽感一只粗壮的手靠近她，很是生气，顺手把这个人的帽缨扯了一条下来。她快步走到楚庄王面前，让楚庄王惩罚这个无耻之徒。楚庄王笑笑说："今天是我请大家喝酒，酒后失礼很正常嘛，别扫了大家的兴致，你先退下去吧。"这时灯也被点亮了，楚庄王又说道："今天高兴，我们要喝个一醉方休。大家把帽缨摘下来，我们摆个无缨宴吧。"大家齐声高喊："好！"谁也没注意有人趁着黑调戏许姬。

三年后的一次楚晋战争中，一位大夫死命保护楚庄王，五次杀退敌人的进攻，使楚庄王得以脱险。楚庄王问道："你为何拼死保护我？我也没有给予你特别赏赐。"这位大夫说："我就是三年前在宴会上对许姬动手动脚的那个人，今天我就是想报答您当年的不杀之恩。"

其实，当参加宴会的人把帽缨摘下放在一起的时候，楚庄王已经知道是谁在调戏自己的宠妃了，但他并没有去惩罚这个人，在他看来，对一些偶尔犯有小过失的人给予谅解，会使他们感恩一辈子，日后完全效忠于你。这正是楚庄王作为一代霸王的过人之处。

楚庄王还能虚心听取各种意见，甚至是对自己有所冒犯的言辞，然后改正自己的错误。他非常爱马，视马如自己的孩子一样，给它们吃最好的饲料，甚至是宫里的果品，给它们穿锦衣绸缎，细心地照顾它们。有一次，他心爱的一匹白马因病死去了。他很悲痛，让人给马买了棺材，下令将这匹马以大夫之礼进行安葬，群臣为马前往吊唁。朝中大臣们认为这样做有些过分，不就是一匹马吗，死了再买一匹不就得了，干吗这么劳师动众的，还让大臣们给一匹牲口磕头吊丧。他们联名劝楚庄王不要这样做，但楚庄王固执己见，执意要为这匹爱马以高规格下葬，并传话说："谁要是再来谈马的事，我就砍谁的头。"一个叫优孟的乐师进入宫中，一走到楚庄王面前，便放声大哭，哭得那个悲恸、那个伤心啊。楚庄王一头雾水，问他为何这么伤心。优孟答道："马是大王最疼爱的，堂堂一个楚国，有什么办不到？现在用大夫的礼节下葬这匹马，有些对不住它，也不符合楚国这样的大国地位呀。"楚庄王问道："那你说怎么办才好？"优孟说道："请大王为这匹马雕琢一口玉石棺材，用梓木做成外椁，为马再修筑一座精美的陵墓，让全国的百姓前来为其吊丧，这样才能让人们知道您是贱人而贵马呀。"听完这番话，楚庄王恍然大悟，如梦初醒，说道："寡人居然这么糊涂啊。"于是，下令撤销先前的决定。

治理好一个国家，光靠国君自己是办不到的。国君的成败，关键在于辅佐他的人是否为贤臣能将。楚庄王在年幼之时，他的父亲楚穆王就没有重视过对他的教育，给他筛选的两位老师，最后竟发动叛乱而被处死。他是多么渴望能有真正的人才来帮助他实现称霸的梦想。

有一次他路过申县，申公请他吃饭。楚庄王唉声叹气地说："世上圣贤不断，各国都有自己的贤才，为何我们楚国就没有圣贤呢，我哪还有心思吃饭。"可见，楚庄王随时随地都在寻找圣贤之才来辅佐他。

令尹子越被射死后，虞丘子继任为新的令尹。当他得知楚王的这一忧虑后，来到宫中，见到楚王说："我们楚国也有贤才，就怕您不用。"楚庄王一听这话腾地起来，赶紧追问："只要是圣贤之才，忠于楚国，哪有不用之理，快跟我说说，他在哪？”虞丘子说道：“有一个普通老百姓，他叫孙叔敖，但他很有名气，也很有才，如果君王愿意用他，我可以把我的令尹之位让给他。”

这个孙叔敖，来头并不简单。他也是芈姓家族之人，算是贵族了，是楚国先君蚡冒的后代。他的父亲就是被令尹子越杀死的司马为贾，当时孙叔敖怕祸及子孙，就离开国都，到深山隐居，过起了普通人的生活。

孙叔敖自幼聪明好学，机智勇敢。有一天外游归来，他很难过，饭也不吃，哭着说：“母亲，今天我要死了。”母亲一愣，忙问他怎么了。他说：“您不是说过，当人遇到两个头的蛇时就会死吗，今天我正巧碰到了，反正我是活不成了，还不如干脆把它打死，以免再祸害他人。快回家时，我怕别人看到，又回去把它埋葬了。”说完，又放声痛哭。母亲安慰他说：“孩子，你心地善良，蛇是不会怪罪你的，你也不会死。”这或许只是民间传说，但反映出这位人才的特别。

在他 30 岁左右时，他做了一件不仅在楚国历史上，就是在中国历史上也可叹的大好事。这就是他设计、修建了中国古代最早的水利工程——期思陂。它比魏国的西门豹渠要早两百多年，比秦国的都江堰和郑国渠要早三百多年。他不仅为当时当地的百姓做了一件好事，而且为中国古代水利事业作出了重大贡献。

楚庄王实际上对他也略有耳闻，只不过并没有放在心上。今天听人一推荐，还真觉得这似乎是自己想要的圣贤之才。

楚庄王马上派使者前往孙叔敖的住处，带着自己的诚意请他来国都帮助自己成就霸业。周围的邻居一听说孙叔敖要到国都当大官了，虽有点舍不得，但心里高兴，毕竟这也是乡亲们的荣誉嘛。大家纷纷前来道贺，正在说说笑笑的时候，忽然门外来了一个披麻戴孝的老人，众人一看，赶紧让人把这个老头赶走。孙叔敖忙说道：“大家不要撵他走。”他恭恭敬敬地走到老人面前，搀扶着说：“别人都来道贺，您却穿成这样，一定是有什么要告诫我，还请老先生赐教啊。”老人不客气地说：“身份高贵而骄傲自大的人，百姓就会离开他；地位高而专权的人，国君就会厌恶他；俸禄优厚而不知足的人,灾祸就会降临到他的头上。”孙叔敖一听，心里一震，忙跪下说道：“您说得太好了，那我今后怎么办？还望老先生指点。”老人笑呵呵地说道：“要谦恭，要有仁心，要忠心。”说完后，老人就走了。孙叔敖望着远去的背影，连声说：“谢谢，谢谢，谢谢。”

孙叔敖能够成为一代名相，正是始终牢记老人的话，时刻按照老人的告诫去做事。有一次，有人向他告发虞丘子的家人为非作歹、横行霸道、仗势欺人，请令尹处置。这对孙叔敖是一次严峻的考验，因为罪犯的主人是虞丘子，那可是自己的恩人，没有人家，自己是当不上令尹的。但作为一国之相，又不能徇私枉法。最后，他作出选择，处死了这个有罪之人。令人没想到的是，虞丘子不但没有怪罪他，反而向楚庄王道贺：“恭喜大王得到了一个真正的贤才，他没有因为我的关系而宽容一个罪犯，这样秉公办事的行事风格，是楚国走向兴盛的希望啊。”楚庄王听后非常高兴。

从此孙叔敖受到楚庄王的信赖和重用，楚庄王不仅把楚国的军政大权交给他，而且还让他与朝中大臣共商国家大政方针。孙叔敖办事认真干练，注意网罗人才，积极发展生产，缓和国内各贵族之间的矛盾，体恤民情，加强了以楚庄王为核心的中央集权统治，成为楚庄王的得力助手。经过一系列整顿，楚国的国力增强了，为楚庄王日后称霸奠定了坚实的基础。

孙叔敖是一个艰苦朴素的丞相，他出门时仍坐普通的柴车，穿的也是普通人的衣服。楚庄王曾想送给他一块地，他婉言拒绝了。他没有给后代留下任何积蓄，以至于他的儿子在其死后只能回到家乡种地生活。但孙叔敖去世后，楚庄王却按照楚国最高级的葬礼将他安葬，自己因失去这位千古难求的好丞相而感到悲痛。

有一次，楚国宫廷艺人优孟出差来到孙叔敖的家乡，他在田间看到一个衣衫褴褛、唉声叹气的青年人，经上前询问才得知他就是名相孙叔敖的儿子。这让优孟很伤心，也很同情，决定帮助他。

于是优孟回到国都，常常扮演成孙叔敖的样子，意在提醒楚庄王不要忘记孙叔敖及其后代。一次正赶上楚庄王大寿，优孟又穿着孙叔敖以前穿过的衣服，来给大王祝寿。楚庄王一看，以为孙叔敖复活了，又要任命他为令尹。优孟说:“让我回去和我的家人商量商量，三天后答复您。”三天后，优孟再次来到宫中，对楚庄王说道:“我回家后，我的妻子说:‘千万不要去任职，楚国的令尹不值得一干，又苦又累，就说你孙叔敖吧，当了这么多年的令尹，得到什么了，你的子孙后代现在还在田间地头干活儿呢，生活得很艰辛。你把楚国治理得强大了，但楚国给你什么了?你的儿子和妻子，又有谁来管呢?’”优孟说着说着就唱了起来，不禁悲伤地哭了。楚庄王也很伤感，觉得有些对不住孙叔敖及其家人。过了一会儿，楚庄王回过神来，孙叔敖不是已经去世了吗，忙问:“你到底是谁?为何要装扮成孙叔敖的样子?”优孟跪下说道:“大王请您治罪，我是优孟啊，前些天我见到孙叔敖的家人，看到他们穷困潦倒的样子，我于心不忍，于是就想了这样一个法子，来提醒大王不要忘了孙叔敖对楚国的功劳，还请大王给予他的家人帮助吧。”楚庄王听完这席话，说道:“这是寡人的过错啊，爱卿快快起来。”他马上让优孟带孙叔敖的儿子前来，准备赐给他高官与俸禄。但孙叔敖的儿子婉言谢绝，最后只要了一块贫瘠的土地。因为他的父亲临终时告诫他，不要贪图不属于自己的财富和权力，只有贫瘠的土地，才不会被人抢夺，才能得以长久地幸存下去。

孙叔敖作为一代名相，影响深远。东汉时，其家乡的人们还专门为其修庙纪念，当地县令还为其树立《楚相孙叔敖碑》，记述了他的一生，高度评价了他的贡献。湖北沙市中山公园内，至今还留存着一座孙叔敖的衣冠冢。

自楚庄王“一鸣惊人”以来，先后粉碎了庸国等围攻、若敖氏叛乱，巩固了楚国在南方的统治，加强了国内中央集权，他与令尹孙叔敖相互配合，使得楚国的军事、经济实力大增，已经具备了北进中原争夺霸主的条件了。而北方中原诸侯国的情况，也极有利于楚国实现梦想。

齐、鲁是东北方向的两个大国，但这两个国家正在遭受一系列内部争夺王位的战争，无暇顾及楚国的北进。晋、秦是北方的强国，但秦、晋之间的互相争夺，使得两败俱伤，实力大大削弱。然而，从位置与实力上讲，目前晋国仍是可与楚国相抗衡的诸侯国。

楚、晋争霸的主要地点是它们中间的陈、郑、宋这几个侯国。楚国如果控制了郑国，就可取得通向西方诸侯国的战略主动权；如果控制了宋国，就可以取得通向东方诸侯国的战略主动权；如果控制了陈国，就可以取得夺取郑、宋两国的战略位置。而这三国，尤其是郑国，如墙头草，哪个国家强大，它们就投靠哪个国家。

陈国有一个大夫叫夏征舒，继承了父亲的爵位，他的母亲夏姬是郑穆公的女儿。这个夏姬，虽已到中年，但依然妖艳美丽。而陈国的国君陈灵公，是一个荒淫无比的暴君，居然私下与夏姬勾搭。这个夏姬也不是个安分之人，除了陈灵公外，她还与多名陈国大夫偷情约会。有人劝诫陈灵公远离夏姬，竟被处死。夏征舒长大后，觉得脸上无光，深感耻辱。有一天，陈灵公与两位大夫又来到夏姬家里喝酒淫乱，陈灵公对着其中一个大夫说："我看夏征舒身材魁梧，很像你，他是你的儿子吧，哈哈。"这位大夫反驳道："看征舒那炯炯有神的眼睛，他是你的儿子吧，哈哈。"一唱一和，互相取乐。而一旁的夏姬却笑笑说："你们这两个老东西，干吗拿人家开玩笑，讨厌。"这一切让躲在屏风后面的夏征舒气得肺都要炸开了，率领早已埋伏好的家卒一拥而上，追杀这些厚颜无耻之徒。陈灵公躲闪不及，被夏征舒一箭射死，其他两人则侥幸逃脱。

夏征舒杀死陈灵公后，立其世子午为君，即陈成公。夏征舒害怕陈国这一政局变动，引来一些诸侯国的进攻，于是他把陈成公送往晋国，以求晋国的支援。

陈灵公虽然奸淫臣下的母亲，侮辱人家的儿子，罪有应得，但臣弑君在当时的社会是不能被原谅的。作为一个大国，晋国应该打着仁义之旗，惩罚夏征舒。然而，晋国并没有这样做，而是接纳了陈成公，答应帮助陈国与夏征舒。这一所谓的“正义”之举，给楚国攻打晋国创造了一个机会。

楚庄王一看正好可借题发挥，于是打着惩罚乱臣贼子的所谓仁义旗号，联合周边几个小国，攻打陈国，进而威胁晋国，真可谓一箭双雕。正好陈国那两位逃跑的大夫像丧家犬一样逃窜到楚国，在他们的带领下，楚国不费吹灰之力就攻下了陈国国都，俘虏了夏征舒。为了表示公道，楚庄王以车裂的方式严惩了这个所谓乱臣贼子的夏征舒。

楚庄王把陈国改设为一个县进行管理与统治，这是楚国打响北进中原、争夺霸主的第一炮。

正当楚庄王得意忘形，周边侯国和楚国大臣、贵族纷纷前来道贺时，一个人的出现让这欢快的场面飘向天空。这个人就是楚国著名的大夫申叔时。他刚刚出使齐国归来，路上已听说攻打陈国之事，回来后也了解了前因后果，当他向楚庄王汇报完工作后，就打算回家了。楚庄王问道：“你为何不向我祝贺呢？”申叔时反问道：“我为何向您道贺？您这是在犯错误。”楚庄王听后，说：“你把话说清楚了，我率领军队打败了陈国，赢得了胜利，怎么就犯错误了？”申叔时不慌不忙地答道：“夏征舒为了洗刷耻辱而杀了他的君主，这确实是有罪，臣是不能弑君的，我们为了主持公道，行仁义之德，联合出兵攻打陈国，这也是无可厚非的，但我们不能掠夺陈国的财富，占领他的国都。如果这样，以后还怎么号令诸侯？”这一席话说得楚庄王茅塞顿开。

这样，摆在楚庄王面前的有两条路：一是继续现行政策，即占领陈国，掠夺其财富为己所有，这样可扩大地盘，夺得战略要地，增加楚国的军事与经济实力；二是恢复陈国，奉还掠取的财物，这样可提高楚国的政治声望，增加政治资本，便于今后号召天下诸侯，夺取霸主地位。思来想去，楚庄王选择了第二条路，恢复了陈国，送还了不属于自己的财富。对楚庄王善于听取他人意见的这一品德，连伟大的思想家孔子都大加称赞："贤哉楚庄王，轻千乘之国而重一言。"

郑国也是位于楚国与晋国之间的一个重要战略国，对它的征服对双方都很关键。在夹缝中求生存，这是郑国治国之根本，当然日子也不好过。亲近南面的楚国，北面的晋国就要兴师问罪；靠拢北面的晋国，南面的楚国又不高兴。有一次，晋灵公会盟诸侯，拒绝接见郑国国君，理由是郑国与楚国有勾结行为。郑国觉得自己很冤枉，就派使者给晋灵公写了封长信，表达了自己的无奈和冤屈，请晋灵公体谅。楚庄王即位之初的八年间，郑国基本倾向于晋国，而楚国对郑国先后发动了七次战争。同一时间内，晋国也因郑国倒向楚国而向郑国发动了两次讨伐。公元前598年（楚庄王十六年）的春天，楚庄王再次带兵攻打郑国，侵占了郑国的别都，郑国根本无力抵抗，只好擅自撕毁与晋国签订的盟约，投靠了楚国。这一年的夏天，楚国召集陈、郑在辰陵（今河南西华西北）举行会盟，由楚庄王主持，陈、郑均表示服从楚国，签订盟约。

郑国签订盟约，心里很不踏实，害怕得罪晋国。于是，刚与楚国签完约，又派使者前往晋国表达与晋国和好的诚意。楚庄王得知后，很恼火。第二年春天，楚庄王亲率大军进攻郑国。这次楚军长驱直入，一直打到郑国国都新郑。郑国国君郑襄公一面急忙派人向晋灵公求救，一面号召将士们奋死抵抗。半个多月过去了，晋国援军迟迟未到。郑国人失望了，也后悔投靠晋国这个不守信义的盟国。眼看就要亡国了，郑国人进行占卜，请求神灵保佑，结果很不吉利，看来天要灭郑啊。绝望的郑人们，有的在太庙里哭泣，有的趴在城墙上痛哭，顿时哭声震天，凄惨至极。楚庄王一看这场面，不忍再行不义之举，于是他下令楚军后退三十里。郑军一看楚兵后退了，赶紧准备工事，加固城墙，加强防御。第二天，楚庄王得知郑国都城一片寂静，于是下令再次攻城。持续了三个月，郑国再也抵抗不住，楚军大举进入都城，城内一片混乱。就在楚庄王踏入郑国王宫时，看见一个人赤着身、牵着牛，恭恭敬敬地前来迎接楚庄王。走近一看，原来是郑国国君郑襄公。郑襄公见到楚庄王说道："这一切都是我的过错，请大王惩罚我吧。如果大王施行恩惠，不灭郑国社稷，我愿听从大王的号令，郑、楚两国世代友好。”楚庄王的左右大夫劝他不要听信这个随风倒的家伙的鬼话，要严惩他及郑国的臣民。楚庄王略思片刻，却答应了郑襄公的请求，决定撤兵，与郑国讲和。因为楚庄王觉得，这样做可以提高楚国的政治声威，扩大楚国在中原诸侯间的仁义形象，增加今后争霸而需要的政治筹码，而且这个服从于自己的郑国，可作为对抗晋国的缓冲之地。郑襄公为了表示诚意，派自己的弟弟子良作为人质前往楚国。

在楚国打败郑国而与其签订盟约后，晋国的援军才赶到。主帅荀林父一听说楚、郑和好并成为盟友，决定打道回府。他认为，既然郑国投降了，楚军也撤退了，即使惩罚这个叛逆之贼，也得等楚军回国后，再来讨伐郑国，不必与楚军正面交锋。他的一些部下作了进一步分析：第一,楚国出兵攻打郑国,是因为郑国违背了与楚的盟约,这符合惩罚原则，而楚庄王答应了郑襄公的卑下请求，赦免了郑国，保全了郑国社稷，这又表现出一种很高的德行，如果晋国出兵，那就属于不义之师了；第二，对比楚、晋两国军事和经济实力，显然楚国略胜一筹。楚庄王励精图治，在贤相孙叔敖的辅助下，已将楚国发展为一个强国，晋国无法真正与它相抗衡。

荀林父连连点头称道，可副统帅先縠提出了反对意见，他说道：“我们晋国向来强大，我们的士兵个个英勇无敌，遇到敌人而不敢前去作战，还算什么英雄，如果因此而给晋国抹黑，还不如让我们去死。听说敌人强大就退却，这哪是好的士兵和好的将领？”这样，晋军中就形成了两派：主战派和主退派。争执半天，也没有作出一个令大家信服的决定。

最后，这个主战的副统帅率领自己的嫡系部队挺身前往，越过黄河，与楚军对峙。主帅荀林父无法控制这部分人的作战情绪，明明知道他们前往是很危险的，但不知如何是好。这时他的一个部下劝他说：“您是主帅，带兵援郑，结果将士不听从您的调遣，如果副统帅失败了，那国君定会治罪于您，干脆一起进攻楚军，说不准我们还能取胜，这样对您和晋国都是有利的。”荀林父只好同意，于是晋军全部渡过黄河，要与楚军开战。

楚庄王明白，晋国虽然有些衰落，但毕竟是北方大国，军事实力很强，不乏骁勇善战之士，这次战争带有晋、楚决战之性质，如果楚军失败了，就会重演先君城濮战败的严重后果。况且，楚军也没有必胜的把握，这样的冒险行为还是不要进行为好。令尹孙叔敖完全同意这一看法。

但楚庄王的宠臣伍参却不同意撤退回国。孙叔敖略带幽默地说：“这几年我们楚国攻打陈国与郑国，消耗甚多，负担很重，如果再与晋军作战，恐怕你这个一国之臣再也吃不到肉了。”伍参也不甘示弱，说道：“要是打赢了，说明您无谋；要是打输了，我的肉将在晋军那里，您还能吃得着吗？”楚庄王一时也犹豫不决，暂时下令一面撤退，一面观察晋军动向，时刻保持备战状态。

伍参又对楚庄王说道：“这次晋军的主帅荀林父，优柔寡断，他的部队散乱，无法实施统一调令，他的副统帅刚愎自用，不听从指挥，擅自率兵前来，这样的军队必定失败。”这话乍听也有道理，于是楚庄王又下令大军不急于撤退，全部掉头向北行进，驻扎在管（今河南郑州市）这个地方，继续观察敌情，再作判断。

晋军也安营扎寨，并不敢贸然进攻。但天灾人祸有时是无法阻挡的。就在这时，郑国使者前来晋军中，对荀林父等人说：“郑国服从楚国，也是为了暂时保存国家社稷，决不是真心实意投降，而对晋国的忠心诚意是不会改变的。”这些话无非是想取得晋国的谅解，与转变晋、楚对峙的局面似乎没有多大关系，但接下来的一番话对整个局势起了根本性作用，他说，“我们刚刚和楚军交过手，他们把我们打败了，现在正是骄傲的时候，根本没有设防，士兵思乡之情很浓，士气较低落。如果晋军现在攻打的话，我们郑国会协助的，这样楚军一定会不堪一击。”旁边的副统帅添油加醋，鼓动统帅下令作战。也有人劝统帅不要听信郑国使者的胡话：“楚国的国君楚庄王是一个机智勇敢的人，他常常告诫他的士兵不能懈怠，时刻戒备，即使打了胜仗，他们也不骄傲。他们攻打郑国，合乎情理，取胜后正是士气高涨的时候，哪有低落之可能，这个郑国使者这样说，无非是想让我们与楚国相互征战，他好选择归附哪一个强者，郑人的话不能听啊。”主战派与主退派因这个郑国使者的到来，矛盾更加尖锐了。

楚军也派使者前来与晋军和谈，然而当使者离开晋军大营后，晋军的这个副统帅马上派人拦截楚国使者，并且百般羞辱他，还扬言要楚国滚出中原，滚出郑国。楚国的将士们听了非常气愤，一致表示要声讨这个无耻之徒。但久经沙场的楚庄王继续忍耐，他又派使者前往和谈，晋军统帅荀林父答应结盟和好。

其实双方都知道这次和谈是一场空言，不可能实现。大家都在等待，谁先动，谁就失去正义的旗帜。此时，可谓箭在弦上，一触即发。

楚人的求战之心甚于晋人，他们是不愿服输的，这是他们的文化性格，也是他们能够进军中原争夺霸主的有利条件。楚军有三位猛将前往晋军营中挑战，他们乘着战车飞速冲向敌阵，准备突袭后立马返回。其中猛将许伯居中，负责驾车，乐伯居左，要用弓箭射杀敌人，摄叔居右，只身闯入敌营，任务最为艰巨。当摄叔与晋人搏斗时，许伯不慌不忙，喂马草料，乐伯抓着缰绳，显得泰然自若。挑战完毕，三人驾车回楚营。晋师分两翼包抄，乐伯左右开弓，晋师未能合围。这时只剩最后一支箭了，恰好有一只受惊的小鹿跑过，乐伯一箭射中鹿背，摄叔下车拾起死鹿，缓缓走向前来追击的晋将鲍葵，双手抱拳恭敬地说道：“这年头，这鬼地方，也没有什么可以作为见面礼送给将军，就将这只可爱的小鹿敬献给您吧，让您的随从美餐一顿。”说完扭头往回走，晋国士兵想前往抓住他们，但被鲍葵拦住了：“这些都是君子，大丈夫也，放他们走吧，不要追了，我们晋国要是有这样的勇士就好了。”

此后不久，晋军的两位将领因不满晋国国君，而假借传达和谈诚意前往楚军，故意挑起与楚军的争端。楚军将士再也无法忍受了，他们追打来楚军的两位晋军将领，楚庄王也亲自参加。晋军统帅原打算派出战车接回他们，避免更大的冲突，所以也没有布防。楚国令尹孙叔敖一看，时机来了，劝说楚庄王下令发动总攻击。愤怒的楚军全线出击，直冲晋军主营。面对这突如其来的袭击，荀林父更加六神无主，只能下令还击。双方在泌（今河南郑州市东北）这个地方展开了一场关系楚、晋争霸的重大决战。

楚军经过整顿后，实力大增，作战勇敢，再加上晋军没有做好充分的防御准备，根本招架不住楚军的袭击，中军和下军被攻破，伤亡惨重，荀林父下令撤退。楚军紧追不舍，晋军几乎死伤一半，溃不成军。撤到黄河边，荀林父鸣鼓大喊："赶紧渡河，先渡河的有赏。"这下更加混乱了，本来人多船少，大家争抢上船。副统帅所乘的船眼看要翻了，他命令随从砍断正在上船的士兵的双手，其他的船只也纷纷效仿，这样河上飘着一层鲜红的手指，真是惨不忍睹。楚庄王听说晋军为了抢渡黄河而自相残杀，下令停止追击。晋军整整折腾了一夜，这些残兵败将才渡过黄河。好在晋军的上军并没有渡过黄河参加决战，而是设伏于河岸边，听到撤退的命令，快速北上，才幸免一战。

打败了称霸中原的北方大国晋国，这让楚国上下沸腾，前线的将士更加兴奋和激动，沉浸在一片欢乐之中。大夫潘党以无比激动的心情建议楚庄王在泌地上用晋国士兵的尸体修筑一个观景台，让晋国好好看看，到底谁是强者，谁是弱者。而楚庄王严词拒绝了这一建议，并说出了一段惊人的言论："你知道'武'字怎么写？'武'是由一个'止'和一个'戈'组成，组合起来就是'止戈为武'，说明征伐的目的不是掠夺，不是以暴制暴，而是为了求得安宁，消除战争。具体来说，武功有七德：禁止强暴、消弭战争、保持强大、巩固功业、安定百姓、绥和大众、丰富财物。如果我们用敌人的尸体垒一个观景台来显示我们的强大，那就违背了'武'这个字的本义，也就会失去百姓，丢掉社稷，甚至会亡国灭种的。"

楚庄王这番精辟见解，说得大夫潘党和其他将士哑口无言，心悦诚服。

楚庄王在黄河边祭祀河神，修建先祖神庙，向先祖报告战争的胜利后就班师回国了。

陈国与郑国降服于楚国以后，楚、晋争夺的中间地带只剩下宋国了。宋国有一个附属国叫萧，故址在今安徽萧县一带。如果灭了萧国，楚国就可从西边的郑国、南边的陈国、东边的萧国三面合围宋国，同时还可挑起楚、宋之间的矛盾，为伐宋寻找借口。于是，在泌之战后不到半年，即公元前 597 年（楚庄王十七年）冬天，楚国决定攻打萧国。春秋战国时期，像萧这样的小国，往往成为大国争霸的筹码，甚至像皮球一样，被任意踢来踢去，真是可怜啊。

唇亡齿寒这个道理，宋国国君和大臣还是懂得的。楚国攻打萧国，明明是冲着宋国来的，所以宋国不能不前往支援。宋国联合蔡国，解救等待救援的萧国。三家合兵，略有战果，俘获了楚国的两位大将，一位是楚国大夫熊相宜僚，另一位是楚庄王的儿子公子丙。楚庄王派使者来到萧国进行谈判，如果萧国放了这两位将领，楚国就退兵。自不量力的萧国，以为有宋、蔡两国的支援，就有了对抗楚国的资本，拒绝和谈，竟要把两位俘获的楚国将领杀了。当萧国的刽子手手握大刀准备砍向楚国二位将领的时候，公子丙喊道："你们知道我是谁吗？说出来吓死你们，我的父亲乃大名鼎鼎的楚庄王，如果你们杀了我，他会踏平你们的国家，杀光你们的臣民。"可惜这些威胁和提醒，对于萧这个没见过世面、孤陋寡闻的小国来讲，根本不起作用。咔嚓，二位人头落地。当这一噩耗传入楚庄王的耳朵里时，他暴跳如雷，气得咬牙切齿，传令攻城。

这时正值冬天，楚国士兵习惯南方生活，哪能受得了北方的冰天雪地，个个冻得抱成了团，申公屈巫向楚庄王禀告了这一情况。楚庄王前往营地慰问，鼓励大家，速战速决，打完就可回家，离开这个鬼地方。三军将士顶着寒风，包围萧都，第二天清晨就灭了萧国。宋军也跑回了宋国。第二年，楚军攻打宋国，但无功而返。

第三年，即公元前595年（楚庄王十九年），申舟奉命出使齐国，但楚庄王叮嘱他不可向宋国假道。假道，就是借道的意思。然而，从楚国到齐国，中间必须经过宋国。按照当时的礼节，经过他国边境，必须向该国借道，如果径直穿过，那是一种极大的不尊敬。楚庄王不让申舟向宋国借道，其目的就是想挑起事端。这有点难为出使者。申舟向楚庄王说道："先君（楚穆王）有一次打猎，我担任左司马，宋国与郑国国君也参加了，规定出发时要带取火用的钻燧，而宋君忘了，我就惩罚了他的仆人，算是替宋君受罚。所以，宋国是记恨我的。如果我这次出使不向它借道，那宋国肯定不会放过我的，说不定会杀了我。"楚庄王说："你放心去吧，如果宋国真的杀了你，我们楚国决不饶恕它，会出兵灭了它。"这不是拿臣下的性命作为征战的筹码吗？申舟很无奈，于是把自己的子孙托付给了国君，就出发了。

果然不出所料，宋国因不借道而扣留了申舟。宋大夫华元向宋国国君建议："楚国的使者经过我们宋国而不向我们借道，这分明是不把我们当作一个王国来看待，而是作为他们的一个县邑来对待，这是对我们的极大侮辱，也是一种亡国。如果杀了它的使者，楚国肯定会前来攻打我们，以目前我们的实力，最后还是被灭。横竖都是亡国，还不如把他杀了。"

当申舟被杀的消息传到楚国，楚庄王表面上很气愤，心里想宋国还真上当了，于是迫不及待地点将发兵，要前往攻打宋国。这一年九月，楚军包围了宋国都城。宋国急忙派人向晋国求救。

晋国国君晋景公准备支援，但晋国大夫伯宗说："大王，您不能这样做啊。现在楚国的实力正是强盛的时候，我们不是他们的对手，况且这次楚国是一定要灭了宋国，任何人都是无法阻挡的。我们还是先忍耐吧。"晋景公听了觉得有道理，但也不能坐视不管，样子也是要做的嘛。于是派大夫解杨前往宋国，就说晋军已经出发，正往宋国国都赶，请宋国誓死抵抗，等待援军到来。没想到，当解杨途经郑国时，被郑人抓起来，并在其身上搜出了晋景公给宋国国君写的信，这个晋国大夫连同信一起被献给了楚国。

楚庄王正发愁如何攻下宋国国都，正好郑国送来了晋国大夫解杨，于是心生一计，对解杨说："你要按照我的吩咐做：你见到宋国国君就说，晋国不发救兵了，让他们快投降，晋国是不会怪罪他们的。"开始时，解杨宁死不屈，后楚庄王给了他很多珠宝财物，再次做思想工作，解杨才答应了。楚庄王很高兴。谁知当解杨到达宋国都城下时，对着城墙上的宋国大夫华元高声喊道："我是晋国国君派来的使者，晋军现已出发，很快就能到达，你们不要投降楚国，坚持作战，会胜利的。"

楚庄王一听，很是恼火，派人把解杨押回营中，对他说："你为何不讲信用，咱们不是说好的吗，你这是自己找死。"解杨答道："我是晋国的大夫，完成使命就是我的信用，决不能接受贿赂，或为了我个人的性命而放弃了使命。刚才之所以答应您，就是想借此机会完成我的使命，虽死而无憾。"楚庄王见他如此理直气壮，说得蛮有道理，也佩服他的机智勇敢，于是就释放了他。

宋国将士听了解杨的话，更有信心坚守都城，誓死捍卫自己的国都。再加上有华元这样的将才指挥，楚国连续攻打了九个月，愣是没有攻破。

这样的持久战，使得楚军弹尽粮绝。楚庄王动摇了，想退兵回国。这时申叔时进言道："如果我们在宋国的都城外盖房子，让部分士兵回国种田，以应农事之急，作出长期围困的样子，宋国就会投降的。"

宋国全体将士奋勇杀敌，打退一次次攻击。他们苦苦等待晋军的到来，但连个影子也没看到。解杨的话，完全是晋国的虚张声势，是表演给他们看的，而且这时都城内也是弹尽粮绝。一看到楚军要长期围困下去，宋国大夫华元顿时觉得无计可施。

天渐渐黑了下来，只有弯弯的月儿给将士们带来生命的希望。今夜没有了往日的嘈杂，静得让人透不过气来。楚国的公子侧登上高高的楼车向宋国都城内窥视着什么，他隐约望见宋国都城城墙上也站着一个人向楚营探望，再仔细一瞅，原来是宋国大夫华元。这时双方似乎没有了敌意，也用不着防备什么，于是公子侧向华元问起了城里的情况。华元悲伤地说："我们城里的粮食早已吃完，现在大家只能以人为食，尸骨用来当柴烧。我们真的不想再打下去了，愿意投降，但不愿订立城下之盟。如果你们退兵三十里，我们会服从楚国的。"公子侧见华元说得这么凄惨，这么诚恳，于是对他说："其实我们也只有七天的粮食了，只要你们肯求和，我愿向君王转达你们的诚意，恳求他退兵三十里。"

公子侧把与华元的对话如实告诉了父亲，楚庄王说道："处在这样的危急时刻，还能说实话，不容易啊，华元是一位难得的君子。"于是，楚庄王下令退兵三十里，与宋国签订了和好盟约。华元也到楚国做了人质，以示守信。

这样，处于楚、晋中间地带的陈、郑、宋三国都被楚国降服了。从此，楚国在南方称霸，晋国在北方称霸，形成了南北对峙的局面，但相对而言，楚国更胜一筹。

楚国赢得霸主地位，靠的是楚庄王的暴烈与宽宏。灭萧、围宋，都是小题大做，但他用暴力强化了楚国霸主的地位，实现了自己的政治理想。顺者抚而怀之，爱惜人才，无论敌方还是己方，重大节而轻小过，这是他最大的优势所在，也最易得到臣民的拥戴和诸侯各国的诚服。

四年之内，楚人伐陈而定其乱，伐郑而降其君，与晋人决战而大捷，伐萧而灭其国，伐宋而使之唯命是从。晋人不敢渡黄河而南进，齐人不敢越泗水而西进，秦人不敢越崤山而东进，中原诸国唯楚国马首是瞻，楚国的霸业达到了顶峰，成为名副其实的春秋五霸之一。

连年征战，劳师伤民。这一点，楚庄王心里明白。伐宋取胜后，楚国进行了三年的休养生息，没有出征。公元前 591 年（楚庄王二十三年），这位楚国的战神，春秋时期伟大的政治家、军事家，永远离开了他的国度，离开了他成就霸业的土地和亲人们、臣民们。但他留给楚国人民是取之不尽、用之不竭的精神财富。

史书对楚庄王的记载，似乎更侧重于他的戎马一生。实际上，这位楚国领导者,关心更多的是民生。体恤民情,亦是他走向成功的必备因素。他也是一个能工巧匠，所研制出来的车，被称为“楚车”。他好学深思，博通典籍，善纳谏言，重视对太子的教育。

对其评价，两汉时期基本上褒扬的多，而东汉之后，贬抑者占多数。这与夷夏之辨的民族思想有关。如果放在当时的历史环境中考察，楚庄王不仅是一位雄主，而且还是一位明君。

二、霸业余晖，危险边缘

公元前 591 年，也即灭宋国后的第四年，戎马一生、称霸中原的楚庄王病逝，他的儿子审继位，即楚共王。

公元前 589 年，即楚共王二年，卫国贸然攻打齐国，当然失败而归了。齐国又对鲁国发动战争。鲁开始向楚求援，但楚国先君楚庄王刚刚去世没有多久，还顾不上参与和解决“国际”争端。没办法，卫、鲁遂向晋国求救。晋国很气派，不会坐视不管，它联合卫、鲁，组成强大联军，以郤克为元帅，攻击齐国。郤克对齐国是有怨恨的，因为三年前他在齐国受辱过。那时他作为晋使，和鲁使、卫使一同去见齐顷公。郤克有点驼背，卫使乃独眼，鲁使跛脚。而齐顷公是这样安排接待的：让一位驼背的官员接见郤克，独眼的官员接待卫使，跛脚的官员接见鲁使。齐顷公的母亲，听说了这样奇异的安排，觉得好玩，竟在城门楼上观看。一看到这样滑稽的场面，她哈哈大笑。这分明是对三国使者的极大侮辱，郤克非常生气，发誓一定寻机报复齐国。现在报复的机会终于来了。很快，晋、卫、鲁联军打败了齐军，准备攻入齐国国都，一举歼灭齐国。

齐国不得不向楚国求救。这时，楚国再也不能以国内先君去世的理由来搪塞了，毕竟齐国是东方大国嘛，向你南方楚国求援，那表明承认你楚国的霸主地位了。那么作为霸主，不能对诚服于己的国家置之不理。于是，楚国决定先攻打鲁国。出师前，楚国派申公屈巫出使齐国。屈巫一听，高兴得嘴都合不拢了。他一反常态，带着亲属和随从同行。原来他准备借出访齐国之名，到郑国迎娶夏姬，要远走高飞，过自己的甜蜜小日子。

夏姬被誉为春秋战国时期五大美女之首。楚庄王灭掉陈国时，俘获了夏姬。面对这么个绝色的美人，楚庄王有些动心了，他想将其纳入后宫。申公屈巫发觉楚庄王有这个意思后，极力劝楚庄王不要贪图美色，要以楚国霸业为上。楚庄王的儿子公子侧也想娶夏姬，屈巫也反对说："这个女人是一个克星，谁娶了她，谁就会遭受厄运与灾难。"最后，经过楚庄王的允许，夏姬嫁给了连尹襄老。襄老战死后，夏姬与襄老的儿子黑要同居。就是这样的女人，凭借自己的美丽容颜，让一个个男人为其倾倒。其中屈巫对夏姬是最为痴情的。他从第一眼见到夏姬，就有点神魂颠倒，心里暗暗下定决心，一定要娶到她。他劝说楚庄王父子，实际上就是为自己着想。

为了顺利得到夏姬，他曾想办法让夏姬回到她的娘家郑国。这次出使齐国正好路过郑国，是绝佳机会。他到了郑国，让手下带着给齐国的礼品回楚国复命去了，自己则和夏姬一起私奔，来到了晋国。晋景公给予他一定的职务，让他待在晋国。

楚国司马公子侧向楚王建议，贿赂晋国，让晋国终身监禁屈巫。楚共王没有答应，他说："屈巫为自己盘算是不对的，但他为先君谋划是忠实的。假如他对晋国有用，晋国是不会顺从我们来惩罚他的，假如他对晋国是毫无意义的，那么有何必要让晋国禁锢他呢？"

楚共王这时才 12 岁，但处事很老练，甚至可以说是深谋远虑。

而令尹子重和司马公子侧等人联合，灭了屈巫留在楚国的族人，瓜分他们的田地、财物和奴仆。屈巫听到后，让人传话给子重："咱们等着瞧，会让你付出代价的。"后来，屈巫代表晋国出使吴国，为吴国训练军队。为了取信于吴，他把儿子留在吴国。后晋、吴联盟，在楚国后背上插了深深的一刀。

这一事件，反映出楚共王初年，楚国内部重臣把政，居功自傲，同时，法纪松弛，年幼的楚共王无可奈何。

是年秋冬之际，楚国攻打鲁、卫。鲁国哪是楚国的对手，不得不求和，还向楚国进贡了 300 位技术熟练的工匠，又把太子送到楚国作为人质，以表和好之意，真是“赔了夫人又折兵”啊。

这样，此年冬天，在楚国号召下，楚、鲁、蔡、许、宋、陈、卫、郑、齐等十四国，在一个叫蜀（今山东泰安西）的地方会盟，他们一致推选楚共王为盟主。这次会盟，除了晋国回避外，中原多数诸侯国都参加了，影响很大，使楚国的霸业达到了顶峰。

然而楚国令尹子重等人没有在蜀地会盟后加固楚国在中原的阵地，扩大楚国的政治影响，并对中原局势发展缺乏敏锐的洞察力和判断力。公元前 588 年（楚共王三年），楚、晋互送还人质以示友好。公元前 587 年（楚共王四年），鲁成公朝见晋灵公。这是在向外放射一种信号，即鲁开始萌生叛楚靠晋的想法。

公元前 586 年（楚共王五年），许、郑相侵，先后向楚国求救。子重认为许国有理而郑国无理，遂扣留了郑国两位使者，由此，把郑推向了晋国。于是，晋国召集齐、鲁、郑、宋、卫等国在郑国会盟。

公元前 585 年（楚共王六年），楚国讨伐郑国，晋国前往救郑。楚师先小胜后败，最后退兵。没过多时，晋侵蔡国，楚救蔡。晋师受阻，也退兵了。

公元前 584 年（楚共王七年），楚国又伐郑国，晋与齐、鲁、宋、卫等国联合救郑。楚国知难而退。这时，在晋、楚之间，占上风的已是晋国。

公元前 583 年，即楚共王八年，晋伐蔡，又侵楚，俘获楚大夫申骊。晋人对待同盟国或其他诸侯，比较霸道，经常索要财物，这就使它无法长期称霸。楚人看清了晋人的这一弱点，在公元前 582 年（楚共王九年），贿赂郑国，使其背晋向楚。郑国一直是一个左右摇摆的诸侯国，当然这也不是它的本意，而是特殊的地理位置，让它不得不这样。

郑成公先是南行朝见楚共王，后又回头朝见晋景公。晋人没有楚人大度，觉得郑成公这个小人居心叵测，又不知算计什么，于是把他软禁起来，随即派兵伐郑。这次郑国就没那么幸运了，当郑国使者前往晋国求和，晋国毫不客气地把使者杀了。郑国只有投靠楚国，向楚国求援了。楚发兵攻陈以救郑，牵制晋军的力量。陈国未作实质性抵抗，就听命于楚。楚接着攻打晋国的另一个附庸国吕国。这个傻乎乎的小国，自不量力地作起了抵抗，还擒获了楚国将领公子平。楚国要求吕国放人，不然就踏平其国都。这个吕国，就像当年的萧国一样，骄傲自大，自以为有晋国这个大哥罩着，便不把楚国放在眼里，把公子平处死了。这激怒了楚人，他们一举攻破吕国国都，国君率领几个随从狼狈逃窜。这时，秦国也看到中原很多诸侯叛晋，于是对晋国发起攻击。这样，晋、楚力量对比发生了明显转变，楚国又占了上风。

长期的战争给晋国带来了沉重的负担，加深了国内的阶级矛盾。国君的威信和权力在快速滑落。两个大族，即赵氏和屠氏之间的斗争此起彼伏，非常尖锐。公元前 583 年，屠氏诛杀了赵氏大夫赵同、赵括及赵氏整个家族，只有一个媳妇幸存下来，还怀有身孕，不久生了一个男婴。屠氏听说这一消息后，派人在全城内搜索，抓到立刻杀死。幸亏其家臣用儿子偷梁换柱，成功地保全了这个孤儿赵武。这就是著名的《赵氏孤儿》剧本的背景。在国内各种矛盾发展的条件下，晋国和楚国的矛盾有所缓和，冲着友好的方向发展、前进。

还有一个重要因素使得晋、楚缓和矛盾，那就是长江下游地区吴国的兴起。公元前 584 年，吴国大举进犯楚国，把淮水上游一带原来属于楚国的一些蛮夷部落夺去。吴王寿梦曾到中原访问，这使他大开眼界，也萌生了争夺霸权的政治夙愿。回国后，吴王开始实施新政，努力富国强兵，这时屈巫也向晋景公建议晋国联吴抗楚。在晋景公的授权下，屈巫出使吴国，表达了晋国的联盟诚意。吴王很高兴，因为吴人同越人一样，本来没有车兵，也不善于使用弓箭，屈巫的到来正好弥补了这一不足。屈巫带着 30 辆战车，教吴人如何使用，并帮助吴人制造兵器和战车。吴国待有了实力后，决定伐楚。结果，楚国令尹子重和公子侧被吴国搞得疲于奔命。

晋、楚矛盾缓和的表现之一，就是互还战俘。早在公元前 588 年，晋国就释放了泌地之战俘获的楚公子谷臣，并把楚国连尹襄老的尸体送还楚国；同时，楚国也表示了诚意，把晋国大夫荀窑送回晋国。楚共王问即将返回祖国的荀窑道："你马上要回到自己的国家去了，将来拿什么回报我呀？"从这话的语气来看，楚国仍然坚持自己的霸主地位，总想以霸主自居，显示自己的豪气和霸气。荀窑答道："非常感谢您的恩惠，让我得在有生之年回到故土。我的国君也不把我的生死放在心上，我的父亲曾向我的国君恳求前往贵国解救我，但遭到灭绝宗族的灾祸，我父虽死但不值得这样去做。如果我回去能继续宗族的使命，守卫边疆，我也会尽为臣之礼，效忠我的国家和人民，绝无二心。"楚共王听后很感动，觉得他是一个忠实之臣，让人敬仰，于是以隆重的礼节送荀窑回国。

公元前 582 年，晋国又释放了楚国郧公钟仪，并请他回国后向楚君转达和意。当时，秦、楚等大国伐晋，郑、陈也依附于楚。晋国面临严重的"国际"危机。一天，晋景公视察军情，来到一座武库中，看到这里关押着一个人。询问后，得知这个人就是两年前被郑人俘获并献给晋国的楚人钟仪。晋景公让随从给钟仪一把琴，为其演奏。钟仪则谈起了楚人的乐曲。晋景公并没有生气，而是问他楚共王这个国君怎样。钟仪说这不是他所关心的，也不是一个臣子可以随便谈论的。事后，晋景公向晋国大臣范文子谈起了这事，这位范文子是主张晋、楚和好的，于是他趁机进言说，钟仪这位大夫，虽然被囚禁，但很忠诚，是一个难得的君子，应该把他送还楚国，让他促进晋、楚两国的和好。晋景公听从了范文子的这一建议，隆重地送钟仪回到了楚国。这就是历史上比较有名的音乐外交，为晋、楚弭兵之盟创造了条件。

同年十二月，楚共王派遣担任太宰的公子辰出使晋国，也表示愿意与晋国重修旧好，缔结盟约。公元前 581 年（楚共王十年）春天，晋国又派大夫出访楚国，作为回访。

这一系列友好交往的信号，推动了两国建立友好关系的步伐。而宋国作为第三方，又积极促进晋、楚两国的结盟。

宋国大夫华元一听说晋、楚要和好结盟，很高兴，他想如果晋、楚真的和好，那么夹在这两个大国之间的宋国，自然就会天下太平，能过安稳的日子了。这些年，晋、楚为了各自争霸，让宋国吃了不少苦头。华元和楚国的令尹关系很好，也和晋国的重臣栾武子交情不错，便以第三方的身份，多次来往晋、楚两国，促成晋、楚和解。

公元前 579 年（楚共王十二年）五月初四，晋国与楚国两国代表在宋国都城西门外举行会盟，签订了合作友好盟约。盟约规定：从今往后，晋、楚两国都不要挑起战争，要世世友好，共同面对复杂的“国际”政治局势，相互支援，互不侵犯。如果楚国遇到他国侵扰，晋国就要出兵帮助楚国维护和平，反过来也一样，如果晋国受到他国的入侵，楚国也有义务帮助晋国。双方要经常互访，加强联系。如果一方违背盟约，一定会遭到神灵诛杀，使它的军队瓦解，国家灭亡。这就是楚、晋两国的第一次弭兵之盟。

这一年的秋天，晋国派遣大夫郤克到楚国友好访问。当郤克来到楚国国都，进入大殿之际，忽然奏起了洪亮的钟乐，这是诸侯国国君来觐见楚王时才会演奏的。郤克一时不知如何是好，下意识地后退，似乎要离开。楚大夫公子侧忙上前，陪同他前往觐见楚共王。郤克这才定住了神，彬彬有礼地走进楚王华丽的宫殿。

楚共王以国君之礼招待，这反映了楚国对盟约的重视。同年冬天，楚国也派使臣带团访问晋国。

“没有永久的敌人，也没有永久的朋友。”这是二战时英国首相丘吉尔的一句名言。在春秋战国时期，这句格言同样适用。对于晋、楚两大国来说，它们的和好是暂时的，随时可能因条件改变而使和平化为泡影。

从楚、晋双方的实力对比来看，双方基本是势均力敌的。弭兵之盟，只不过是各自为了巩固各自的力量，为新的争夺准备条件罢了。

在晋、楚修好的第二年，晋国就联合齐、鲁、郑、宋、卫等国攻打秦国，获得胜利。楚人一看，我们也不能傻乎乎地遵守什么友好和约，不然就会吃大亏的。楚国送给郑国一些土地，让郑国背叛晋国与楚国结盟，瓦解晋国的势力。此时，晋国内部爆发动乱，大族伯宗的儿子伯州犁逃奔到楚国，楚王委以重任，让他当上了太宰。太宰是春秋时期掌管王家内外事务或在国君左右参与谋划的重要官职。在这样的形势下，楚国的部分大臣和贵族提出了讨伐晋国的计划。

公元前 576 年（楚共王十五年），即晋、楚弭兵之盟后的第四年，楚国司马公子侧积极主战，而大夫子襄（楚共王的弟弟公子贞）反对这一建议。子襄认为，楚国刚刚与晋国结盟，现在就要背弃盟约，恐怕不好。公子侧反驳道："国家利益是最主要的，只要对我们有利，盟约算什么。"这时楚共王已 25 岁了，他长大了，年轻气盛的他，决定撕毁合约，对晋国发起攻击。

楚师先对晋、楚中间的小国开刀，侵郑伐卫，都是稍进即退，实际上是向中原表明自己的实力和争霸意图。

其实晋国的栾武、郤克等人也不甘心被盟约束缚，想继续争霸。而以范文子为首的一派，则主张维护盟约，继续和平友好。

公元前 575 年（楚共王十六年），郑国叛晋后，恃有楚国作后盾，兴师进攻宋国。前一年，宋国内乱，左师、大司寇等五人逃到楚国，楚国收留了他们。而这五人均为宋国大夫华元的政敌，这样，宋国与楚国的矛盾也加深了。

郑国的所作所为，直接违反了诸侯的盟约。对此，晋国自然不能坐视不管，于是下决心讨伐郑国。晋厉公以栾书等人统领晋军，并联合齐、鲁、卫等国一道出兵杀向郑国。

郑国向楚国求援，楚共王下令出兵救郑。当楚军路过申县时，司马公子侧见到了申叔时，问问他对这次战争的看法。申叔时说道："德、义、礼、智、信是战争的手段，而现在楚国背信弃义，对内抛弃它的百姓，对外撕毁盟约，亵渎了神灵，言而无信。抛弃百姓是说春耕农忙时节，却派人打仗，妨碍了农时。这样，将士们不可能安心作战，又怎么能打胜仗呢？"主战的公子侧，本想得到取胜的策略，而不是被劝罢战。于是，他根本没听申叔时的这番言论。

这一年的五月三十日，晋、楚两军在郑地鄢陵相遇。历史上著名的鄢陵之战就此拉开了序幕。

这次晋、楚双方再也不用遮遮掩掩，都公开地大做战前准备。楚军强悍，兵器先进，士气高涨，且有从晋国投奔而来的太宰伯州犁做参谋、向导，这对楚军掌握晋军习性和活动规律大有裨益，因此令尹子重让其侍立在楚共王的身边，随时报告晋军的动向。但率领中军的元帅公子侧与率领左军的令尹子重是一对冤家对头，平时就相互敌对。公子侧勇而无谋，子重则谋而无勇。如果两人同舟共济，那将使得战争结局是另一面目，可惜这并非当时的事实。公子侧并不尊重子重，楚共王也不喜欢子重。让令尹子重听从司马公子侧的指挥，显然不合时宜，只能使矛盾更加尖锐。

而晋军一方，他们以执政的上卿栾书为元帅，统领中军，且有齐、鲁、卫诸国加盟。当然，楚师那边也有郑师和东夷的一些部族参加。其实，晋军也存在战与和的争执，这都不利于晋国的争霸。

清晨，楚军逼近晋军，列好了阵势，楚共王登上巢车，远眺晋军。这是他第一次亲临前线参加战争，觉得很新鲜。巢车是当时的先进军械，便于了解敌方的布局和动向。公子侧下令楚军快速推向晋军阵地，不给晋军以喘息的机会，或许就是通过巢车的观望而作出的正确决策。

楚共王一边观望，一边问伯州犁："晋军有的向左驶去，有的向右驶去，他们这是在干什么？"伯州犁答道："他们这是在召集军吏。"楚共王继续说道："不错，我看到他们那些军吏都聚集到中军去了。"伯州犁接着说道："他们要商议作战计划了。"楚共王又大声喊道："他们搭帐篷了。"伯州犁忙解释道："那是他们要进行战前祭祀与占卜了。"不一会儿，楚共王又说道："他们开始拆卸帐篷了。"伯州犁答道："他们快要下命令了。"楚共王接着说道："我看见他们那里尘土飞扬、人来人往。"伯州犁答道："那是他们在填水井、平土灶，以便就地布阵。"楚共王停顿了一会儿，接着说道："他们上车了，不，他们又下车了，这是为什么？"伯州犁解释道："他们正在听主将的号令，同时也在祈祷，祈求神灵的保佑。"

楚人征战也要祈祷与占卜，他们是分两次进行的，一是在出征前，由楚王举行，地点在宗庙；二是在战场上，即将作战时，由司马或并非司马的元帅举行。而晋人在战场完成祈祷与占卜，是一次进行的，这与楚人多少有些不同。

晋军此时未见盟军援兵抵达，加之营垒前方有泥沼，楚军逼近，兵车无法出营列阵，处于不利的地位。鉴于这种形势，晋军主帅栾书主张固守待援。然而新军统帅郤至则认为，楚军有诸多弱点，比如，楚军中军统帅公子侧和左军统帅子重关系不好；楚王的亲兵不精良；郑军列阵不整；随楚出征的蛮军不懂得阵法；楚军布阵于无月光之夜，实不吉利；楚军布阵后，阵中士卒喧哗不静，秩序混乱。如此杂乱无章的军队一旦投入战斗，必然是互相观望，没有斗志，我军若乘此机会发动进攻，一定能够把他们击败。因此他主张利用楚军的弱点，先发制人，主动进攻楚军。

晋厉公也在大夫苗贲皇的陪同下观看了楚军的阵势与动向。这位大夫曾是若敖氏族人，在若傲氏叛乱后，逃到晋国，因他对楚军熟悉，所以由他陪同视察敌情。他认为，楚军的精锐集中在中军，晋国可以先用优势兵力冲击他们的左、右军，然后再攻打他们的中军，这样晋国一定会取胜。晋厉公观望了强大的楚军后，心里确实没底，听了苗贲皇的分析，觉得有道理，也有了信心，于是下定决心作战，并进行了部署。

双方都下达了进攻命令，激战开始了，顿时擂鼓声、厮杀声直冲云天。晋军前面是一片沼泽地，战车不得不从两边绕行，晋厉公的戎车险些落入泥潭。按照苗贲皇的策略，晋军对楚左、右军进行了攻击。楚军抵挡不住，被逼到不便通行的地形上，陷入被动，阵势大乱，纷纷向颍水北岸方向败退。

晋军乘势猛攻楚中军。楚中军力量强大，本来可以抵住晋军的围攻，但事情往往不遂人愿。就在双方对战时，晋军中的一名神箭手张弓引箭，向楚共王射去。这个没有作战经历与经验的国君，根本不知躲闪，只听“嗖”的一声，楚共王应声而倒，嗷嗷惨叫，原来这支利箭射中了楚共王的眼睛。楚军一看国君受伤，有点混乱。晋军借机冲杀，一度有压倒楚中军的态势。楚共王虽未作过战，但毕竟年轻体壮，他忍痛命令神箭手养由基还击。养由基不慌不忙，拉开弓，搭上箭，一箭射死了晋军的那位神箭手，暂时稳住了楚军的阵势和军心。成语“百发百中”、“百步穿杨”，就是由养由基这一射箭手而来。

古代打仗，是讲究仁义礼仪的。即使敌我双方激战之时，也忘不了行礼施仪。晋军将领郤至冲锋陷阵，三次遇到楚共王，都下车脱盔向楚共王致敬，共王还让人送给他一张弓，表示慰问。郤至受弓后，随即退走，登车再战。

晋军还有一位将领曾经访问过楚国，对子重格外敬重。在作战中，他远远望见子重的旌旗，于是向晋厉公提出要上前为子重敬酒。晋厉公同意了，但他又一想作为国君的护卫者，自己是不能离开的，于是他派人代行前往向子重敬酒。子重接受了这一敬意，喝完酒后，让来的晋人先行回去，自己继续作战。

双方从清晨一直打到夜幕降临，楚军暂时失利，公子茂也成了晋军的俘虏。楚共王只得收兵，而晋军见天色已晚，也暂时停止了追击。

楚公子侧派人视察慰问伤员，调整布局，补充步兵和车兵，修理盔甲和武器，清理战车马匹，命令明天早晨鸡叫时开饭，准备继续决战。

晋军虽然一时取得主动态势，但明天的胜负还很难预料。为了鼓舞士气，稳定军心，苗贲皇通告全军，检查装备，补充兵员，喂好战马，修理战车，调整布列，饱餐一顿，明天决一死战。他不但大张声势地巡查部队的休整情况，还故意放走一个楚国俘虏，让其回去报信。

这个逃回的士兵向楚共王报告了晋军的动向和备战情况，楚共王很担心，便召集众将帅商量对策，然而迟迟不见司马公子侧前来。不一会儿，侍卫回来报告说，司马公子侧因病无法参加。楚共王很纳闷，白天还好好的，怎么一下子就病倒了。楚共王赶紧来到公子侧的营帐。刚到门口，一股刺鼻的酒气迎面而来，待楚共王走进一看，公子侧早已烂醉如泥，躺在床上，嘴里不停地说着“喝，继续喝，来，干杯。”

公子侧是楚国有名的嗜酒者，他常常以酒代水。今天战斗正在紧张地进行时，他有些口渴了，侍卫就把酒递给他，他连连摆手，让把酒拿走，他要喝水。一会儿，侍卫又把酒拿回来，他还是不喝。等第三次侍卫把酒递给他的时候，他再也无法控制自己，一口气把一坛酒喝了下去。停止攻击后，他勉强处理完军务，就倒头大睡了。

楚共王一看这情景，非常气愤，也很无奈，如果明天再打下去，将对楚军十分不利，说不准会遭受灭国之灾。于是，楚共王只好下令全军连夜撤退。等公子侧酒醒之后，才得知自己的失误及造成的严重后果，遂自杀谢罪。

第二天天刚刚亮，晋军就发现楚军已退走，便进入楚军大营，拿走楚军未来得及带走的东西，三天后凯旋。

鄢陵之战，晋军善察战机，巧妙指挥，击败同自己争霸中原的老对手——楚国，进一步巩固了自己在中原地区的优势地位。它是晋、楚争霸中的第三次，也是两国军队主力会战的最后一次，在历史上具有重要的意义。它标志着楚国对中原的争夺从此走向颓势，此后楚国在不断的争夺中一直居于劣势和被动，楚共王也未能在文治武功上取得更大的突破。晋国方面虽然借此得以重整霸业（即所谓的“晋悼公复霸”），但其对中原诸侯的控制力也逐渐减弱了。从这层意义上说，这场战争后，晋、楚两国都逐渐失去以武力争霸中原的强大势头，中原战场开始沉寂下来，鄢陵之战堪称为当时晋、楚争霸的最后一幕。

这次大战中，还有这么一种现象：双方阵营中都出现了对方叛臣的身影，因其对本国军队阵法的了解，二人对战争进程发挥了很大的作用，后人有诗评论这件事：

楚用州犁本晋良，晋用楚材是贲皇。

人才难得需珍重，莫把谋臣借外邦。

鄢陵之战，实际上是晋、楚势均力敌的一种对抗表现，如果就简单的战争结果来看，确实是晋国取胜了，楚国失败了。但如果从整个战争局势和对抗态势来看，其实两国是平手，很难分出胜负。往来读楚史者，多将楚师失利归咎于公子侧的醉酒，这似乎有点不公平。当然，大敌当前，醉酒行事，乃战争之大忌，他难辞其咎，但楚共王本来对这场战争就没有信心，他没有先父楚庄王的机智勇敢和豪气胆识，作为最高统治者的他，恐怕对此场战争的失利负有更加不可推卸的责任。

鄢陵之战后，楚国虽失败了，但元气没有受到损耗，仍有实力继续与晋争夺霸主。但国内连续发生的一系列事件，对其国力影响很大。右司马公子申贪图享乐，横行霸道，接受小国贿赂，侵夺令尹子重和左司马子辛的职权。公元前 571 年（楚共王二十年），楚共王处死了公子申。不久，子重病故，左司马子辛继任为令尹。子辛的跋扈甚于公子申，向陈国索贿太苛刻，以至于陈国背楚而向晋。公元前 568 年（楚共王二十三年），楚共王杀子辛，以子囊为令尹。

从形势上看，晋国显然又占了上风。还有一点有利于晋国的是，此时晋国国君发生了变化，公元前 572 年（楚共王十九年）新即位的晋悼公，虽然仅有 14 岁，但很有政治魄力。他选贤任能，大胆改革，整顿朝纲，发展生产，特别是在上、中、下三军之外，又建立了一支新军，还与周边的少数部族和亲，改善周边民族关系，因此晋国的国力日益增强。这些都为其后八年中的九次会盟诸侯、复霸中原创造了条件。诸侯国也纷纷倒向晋国，连晋、楚中间地带的陈、郑、卫等国也多背楚靠晋，其中最典型的要算郑国了。

鄢陵之战期间郑国并没有因楚国失利而背弃它。公元前 574 年（楚共王十七年），郑国出兵攻打晋国。晋联合周、齐、鲁、卫、宋等国伐郑。楚令尹子重率兵救郑，联军知难而退。这年冬，晋国又率领联军伐郑，楚国派公子申前往支援，联军又望风而退。这时，郑国对楚国仍是服从的，维持着盟友关系。

没过几年，郑国大夫有点忘乎所以，居然派兵袭击楚国的附庸蔡国。公元前 566 年（楚共王二十五年），郑相子驷杀了郑僖公，执掌朝政大权。第二年，为了转移国内对其的仇恨，他派遣子国与子耳率领军队攻打蔡国。侵扰蔡国，就等于对楚国发起挑衅。同年冬天，楚国派令尹子囊率兵伐郑。

当时郑国内部有两种意见：一种是主张等待晋国救援，与楚国相抗争；另一种意见则是要顺从楚国。两种意见协调后，郑国决定暂与楚国结盟，等把楚军敷衍走后，再与晋国解释、和好。这是一种唯强是从的战略对策，结果让晋国很生气，第三年冬天，晋国率领联军进攻郑国。郑又敷衍晋国，打算与晋结盟。当联军准备退兵时，楚国令尹子囊率军前来救援郑国。郑又与楚结盟。晋军觉得自己像是在被郑国玩弄，再次恼火，对郑国北部边境进行掠夺，随后退兵。楚国也跟着班师回朝了。

郑国子驷这种两面讨好，实际上都得罪的政策弄得国内臣民意见很大，纷纷起来反对，要求完全倒向晋国，甚至有人建议向宋国发起挑战，这样晋国和楚国都会前来参与，郑国可乘机永远投靠晋国。于是，公元前 562 年（楚共王二十九年），郑国按计划对宋国发动袭击，晋国果然率领联军攻打郑国。郑国装出一副害怕的样子，派使臣求和，双方结盟。这样激怒了楚国，楚联合秦军前来攻打郑国。郑国国君忙出城迎接，以示求和。接着，晋国再次率领联军出兵伐郑国。郑国忙派大臣前往告诉楚共王，请求支援。但这次并没有按照郑国设想的进行，楚共王对郑国这样反复无常的举动很是恼火，觉得楚国的尊严受到了极大侮辱，于是就把郑国派来的使臣扣押下了。

郑国这次真的害怕了，赶紧派人向晋国求救，还送给了晋悼公大量礼物，包括乐师及编钟，还有大量舞女以及一些战车等。

楚国虽然这次没有贸然对晋国发起攻击，但这口恶气无法平息，第二年冬天，楚、秦再次联合，对宋国发起攻击，作为对晋国的报复。

鄢陵之战后，楚、晋之间没有再发生大规模的军事战争，只是小规模的武装冲突。但长期的战争消耗，使得晋、楚双方都很疲惫。

公元前 560 年（楚共王三十一年），楚共王去世，他的儿子熊昭继位，即楚康王。

楚共王从小生长在一个无忧无虑、荣华与安宁的环境中，虽有父王训诫、师傅教导，但他缺乏生活磨难与生活历练。他的父亲楚庄王之所以能够使楚国称霸中原，与其生活磨炼息息相关。宫廷安逸的生活，把楚共王培育成一个贤厚仁明的君主，而不是一个英勇果敢的统帅。在春秋这个战乱纷争、称王称霸的时期，诸侯国需要的是英勇果敢而又贤明仁厚的国君，相比之下前者更为重要。在鄢陵之战前，楚共王还未曾见过政治与军事上的大波大澜。遇到紧急情况，他毫无经验和理智去应付，容易失态。如在撤离鄢陵时，楚共王在养由基、黄衰微等大夫的簇拥和护卫下迅速离开战场，而走着走着楚共王心里越发惧怕，突然瘫倒在地上，黄衰微急中生智用脚踢了楚共王一下，面对这样无礼的行为，楚共王发怒了，腾地一下子站起来，大夫们才趁机把他扶上战车。

当他病重之时，常常向令尹忏悔，觉得自己无德，羞辱了先王，请死后赐予他“灵”或“厉”（均为恶谥）。但他的令尹子囊在其驾崩后，力排众议，并没有遵从楚共王遗言，而是作出了这样的评价：“赫赫楚国，而君临之，抚有蛮夷，奄征南海，以属诸夏，而知其过，可不谓共乎？请谥之‘共’。”从已知的考古资料来看，楚文化的特异风采正是在楚共王时期形成的。

楚共王这种自责忏悔的精神，说明他从未忘记先王之霸业。如果撇开他的三子之乱楚和治国安邦的能力，他的一生可以说是积劳成疾、鞠躬尽瘁、死而后已，依然可以为楚国后世敬仰！

令尹子囊所言的“抚有蛮夷”、“以属诸夏”，与其说是楚共王的功业建树，倒不如说是楚国奉行的路线。这条路线，自楚武王就创立了，楚成王确立，楚庄王光大，楚共王奉行。它彰显了楚文化融汇南北的恢宏气魄。由于长期处在夷夏交替的位置，楚人的民族偏见是最为淡薄的，相应地楚国的民族政策在先秦各诸侯国中也是最为开明的。

楚共王在其执政期间，可谓政绩平平，但也维持了晋、楚争霸的态势，在一定程度上继承和延续了他的父亲楚庄王的霸业。

有一位学者说得很对：“他（楚共王）是楚国一代雄才大略之主楚庄王之子。有这样的父亲，的确值得骄傲，可有这样的父亲，他也将一辈子生活在父亲的光环和阴影之下。他的国策国运、他的一切行为也许是其父强有力的延伸，但也必被人们拿来与其父亲进行对比参照。参照的结果不言而喻——伟大与渺小！我们不知道楚共王是怎么想的，是为这样伟大的父亲而自豪，还是为生活在他的光环之下而永远自卑。因为楚庄王留给他后代的那座山峰实在是太高大了。”

虽然楚共王本人一生政绩平平，性情温和，却生养了三个体格剽悍、性情凶残的儿子，几乎给楚国带来了灭顶之灾。从此，国运衰败，民生凋敝，军威不振，腐败盛行，楚国的争霸之势已成明日黄花。由此，我们不能不说此乃楚共王之大过也！

楚共王的一生对其国家的作用是多重的，既有埋下隐患的负面影响，又有延续其父霸业的鞠躬尽瘁之精神。

三、改纪其政，以定其国

楚康王在位 15 年，面对的政治环境与其父楚共王颇为相似，不仅要北上中原，与晋国争霸，还得花很大力气应对吴国在东面的不断骚扰和侵袭。两面作战，广大将士疲于奔命，苦不堪言。严峻的形势促使楚康王不得不寻找和解之路，以尽快打破这种不利于楚国发展的僵局。此时，晋国更是内外交困，穷于应付，深感征战之累，也想与百年宿敌楚国和解。最后，经过宋国调解，楚、晋两国与数个诸侯国在公元前 546 年（楚康王十四年）订立了罢战息兵、平分霸权的盟约。楚康王不仅成功地解除了北方中原各国对自己的强大军事威胁，而且还凭借自身强大的实力，当仁不让地与晋国国君晋定公一起坐上了中原霸主的宝座。春秋时代，楚、晋两霸并立，就好比 20 世纪的美国和苏联同时称霸一样，令世人瞩目。

楚康王初立之际，大胆进行政治改革，调整了统治集团的核心成员。因为他从父亲的身上看到了国朝内争是国家军事失利的重要因素，故而认真反思，决心剔除这一弊政。公元前 558 年（楚康王二年），他利用令尹子囊死于伐吴途中这一契机，开始改革计划。

首先，他任命楚共王的弟弟，也就是自己的叔父子庚为令尹。子庚在位八年，虽无大的作为，但也没有发生大的过错。公元前 552 年（楚康王八年），子庚病死。楚康王想任命蓬子冯为令尹。当征求蓬子冯的意见时，蓬子冯说让他再考虑考虑。之后，他向申叔豫请教此事，申叔豫说："国家的宠臣很多，君王又年轻，恐怕这不好办。"这说明朝廷权臣很多，形势很复杂，当了令尹也不容易把事情处理好。于是，蓬子冯打算拒绝这一别人看作美差的事。时值酷暑，蓬子冯内穿两件棉衣，外套一件袍子，很少吃东西，整天躺在床上，假装生病，以此谢绝任命。当然，他不会大热天拿自己的身体开玩笑，原来他在床下挖了一个坑，放进冰块，这样即使穿得厚，也无大碍。楚康王派人前来一看，就没有再勉强他，改任子南为令尹。

子南上任后，楚康王慢慢发现子南有一个宠信之人观起，势力很大，整天耀武扬威，虽然朝廷没有给其增加俸禄，但他却驾着几十辆车，在街道上行走。楚康王对此是不能容忍的，于是他派人刺杀了子南，车裂了观起。

楚康王再次任命薳子冯为令尹，觉得这个人可靠。起初，薳子冯所宠信的人，也给人以暴发户的感觉。一次，他上朝见了申叔豫，而申叔豫始终躲着他。退朝后，他登门拜访申叔豫，问起为何在朝上故意躲避他。申叔豫向他说道："难道你不知道前些年子南是怎么死的吗？"话还没说完，薳子冯就明白了，赶紧起身道谢，急匆匆地回到了府上。他连夜命令手下那些个宠信之人离开他。这样，楚康王自然对他放心了。

其次，楚康王增设右尹一职，后又分别增设右司马和左司马两个职务。他不仅对行政管理和军事管理体制进行规范，还完善马政管理。由于当时处于冷兵器时代，战马在行军打仗和日常交通中处于重要地位。我们从楚康王时代设立大厩、中厩、宫厩等管理车马和设置"监马尹"主掌马政的动作中可以看出，楚康王在这方面是下了很大工夫进行整顿治理的。通过改革，重新对权力进行配置，有利于权力制衡机制的建立，有利于互相监督制约，有利于提高办事效率。

为了增加国力，发展生产，楚康王在公元前548年（楚康王十二年）推行了"量入修赋"的经济改革，对楚国的国土状况进行了全面而详细的调查分析，依各地生产力之高下，分清土地的类型和档次，根据收入之多少，公平地征收军赋。这次军赋整顿与改革，无论是对楚国，还是对后世中国都具有重要的意义。

楚康王追慕令他自豪的先王，企图重振楚国雄风，觉得只有这样才能无愧于列祖列宗和他领导下的全体臣民。于是，他开始了争夺江淮、力挫东吴的雄壮计划。

吴国与楚国虽都属长江流域，但因地理位置相距较远，一个在湖北西北部，一个在江苏一带，所以各自独立发展，互不相犯。楚庄王时代，当楚国地跨江淮，傲视群雄时，吴国也已征服了周边众多小国，成了东部的一个势力雄厚的大国。吴、楚两国势力开始在中间地带碰撞。公元前 601 年（楚庄王十三年），吴、楚缔结友好盟约，相约和平共处，共谋发展。但历史的意志并不以人的意志为转移，两国必然由同盟走向对立。

楚康王即位初，公元前 559 年（楚康王元年），他就曾让令尹子囊率兵攻打吴国。吴人固守不出，楚师只好撤退。而在楚师撤退途中遭到吴师伏击，公子宜谷被吴军俘获。子囊也自杀谢罪。楚康王遂以子庚为令尹，并命其率军攻打吴国。令尹子庚受命出征，楚国“箭王”养由基用败兵计，将吴兵诱入一个名为庸浦的地方，子庚命隐藏在此的三处伏兵倾巢而出，吴兵溃不成军，落荒而逃。此战中，楚国还一举俘获了吴国大将公子党。楚国取得了决定性胜利。

吴国地处多江河湖泊之地，国人多识水性，建有庞大的水军（时人称之为“舟师”），吴国常以“舟师”为支撑，进攻楚国。为了适应战争的需要，楚康王审时度势，作出了打造战船，组建水军的决定。公元前 549 年（楚康王十一年）夏天，楚国正式组建了“舟师”，受楚康王之命，“舟师”向吴国境内进发，虽因吴设防甚严，所获不多，但却在一定程度上打出了楚国的威风，展示了楚国的军事实力。从此，吴国水军再也不能像先前一样如出入无人之境了。楚国水军的建成，不仅让熟习于水战的吴国神经为之紧张，更让还只习惯于兵车之战的中原各国为之提心吊胆，在一定程度上有效地打击了中原各国，特别是晋国的嚣张气焰。

为了争夺中间地带，楚、吴两国在楚康王时代发生了数次战争，虽互有胜败，但总体而言，楚国占据上风，其中经典的战例是舒鸠之战。

舒鸠（今安徽舒城）是群舒部落之中的一支。群舒部落中的舒庸、舒蓼等部落早为楚国所灭，舒鸠因位于原群舒部落中偏南的地区，与吴较近，故还没有被楚吞并，但却早已臣服于楚国。公元前 549 年冬天，吴国利用晋平公率诸侯联军攻齐，楚国发兵攻打郑国援助齐国的机会，唆使舒鸠背叛楚国。听说舒鸠想背叛自己，楚康王大怒，为保楚国威风，他亲自领军前往讨伐。楚康王屯兵于荒浦，命手下两员大将前去责问舒鸠。舒鸠见楚国大军压境，心胆俱裂，不仅矢口否认，而且表示愿与楚国再订永远称臣纳贡之盟。见其信誓旦旦，楚康王最终与其握手言欢，领军而还。

但是，第二年，也就是公元前548年的秋天，舒鸠因离吴国太近，实在难以抵挡吴国的攻伐，就乘楚国令尹蓬子冯去世之机，迫不得已地归服了吴国。闻听舒鸠背信弃义，楚康王怒火中烧，命令新上任的令尹子木率大军前往攻讨。楚军一路势如破竹，轻取舒鸠重镇离城（今安徽舒城县西）。舒鸠难挡楚军铁蹄，求救于新主。吴国为保护新入盟的小兄弟，自然领兵来救。楚国令尹子木冷静地命右师先至舒鸠，左师却战略后撤，寻找战机。楚、吴两军在战场上相持不下，僵持了七天七夜。大将子疆认为久居敌方区域不利，应速战，令尹子木接受其“私卒诱之，精兵会之”的建议，派其带领一队人马向吴国挑战，将吴兵引入伏击圈，打得吴军鬼哭狼嚎、抱头鼠窜，并一举灭掉了反叛无常的舒鸠。灭鸠设县强有力地打击了吴国对楚国的挑战行为，以实际行动证明了楚国在楚康王之时仍在对吴作战中具有主动地位。楚国在东面与吴国的争霸战，不仅制服了吴国，也为楚国在中原与晋国争霸起了配合作用。

如果说胜吴灭鸠之战充分证明了楚国在楚康王时期在淮河流域具有绝对的控制权，那么，在争夺战中一箭射死吴王诸樊，则更是打出了楚国的威风和霸气。

诸樊是吴王寿梦的长子。公元前561年（楚共王三十年），寿梦死，诸樊继位为吴王，由此可见，他比楚康王早一年登上王位。为了挽回舒鸠一役中的败局，重新找回吴国在江淮地区的控制权，吴王诸樊赌徒似的想作垂死挣扎。公元前549年（楚康王十一年）冬天，他亲自率领吴国军队奔向楚国的巢邑（今安徽瓦埠湖南），想用武力将其纳入自己的势力范围，以弥补失去舒鸠的损失。面对浩浩荡荡的吴军，巢邑守军知道硬拼不行,只能智取。于是,一场比诸葛亮早近600年的空城计上演了。

巢邑守军大开城门，诸樊不费吹灰之力就占领了早已垂涎三尺的巢邑。正当他得意非凡之时，埋伏在一段短墙后面的巢邑守将、箭法十分高超的牛臣突然出击，一箭就将诸樊当场射死。诸樊被射死，吴军大乱，埋伏的巢军发起突击，吴军落荒而逃。楚国再次捍卫了祖国的尊严。

楚康王一边积极地东向拓地，在江淮地区与吴国争雄，一边积极谋划再上中原，力图重新控制郑国。

公元前555年（楚康王五年），晋国为了打击屡次攻伐自己盟国鲁国的齐灵公的嚣张气焰，率兵攻齐。郑简公竭尽全力为新主子效劳，亲自领兵参加讨伐。留守国内的大夫子孔是亲楚派，为了排斥异己，借国内空虚之机消灭亲晋的子展和子西等大夫，夺取郑国的朝政大权，他派自己的亲信来到楚国，请求令尹子庚派兵协助。子庚当场没有答应，而楚康王听到子庚的禀报后，认为北上中原争霸的机会来了，于是他命令子庚出兵支援郑国大夫子孔的行动。子庚无奈，只好率兵攻打郑国。郑军固守不出城，楚师求战不得，两天后楚军撤退。第二年，郑国发生内乱，子孔被杀死，其同党子革等人逃到楚国，楚国任子革为右尹。

楚康王此次伐郑虽然遭到了一些挫折，但其善于抓住机遇、北图中原的雄心壮志还是值得充分肯定的。

楚康王第二次伐郑是在公元前549年，目的是从西边策应盟国，缓解晋国对齐国的攻打。当时晋国刚刚消灭了叛逃齐国并借助齐国力量潜入曲沃发动内乱的栾盈。齐庄公因资助栾盈反叛，担心晋国报复，想与楚康王会盟，以便联合共抗晋国。楚康王便派大将蒍启强随齐国使者访齐，与齐国协商会盟的时间和地点。恰在此时，齐庄公听说晋国在夷仪大会诸侯，马上就要讨伐齐国，忙派大臣陈无宇随同就要返回楚国的蒍启强再到楚国，以求兵抗晋。应齐庄公之邀，楚康王马上就组建起了楚、蔡、陈、许四国联军再次杀向郑国，以缓解齐国所受的军事威胁，晋国只好放弃了正在进行的攻齐之战，率军回救。楚康王见战略意图已经达到，就撤军回国。

公元前547年（楚康王十三年）春，楚国与秦国联合向东攻打吴国，军抵雩娄，见吴国戒备森严，防守有道，便兵锋一转，杀向郑国，一举攻克郑国国都，俘获了郑国的印堇父、皇颉两位大将。印堇父被作为战利品献给了秦国，皇颉则被楚国囚禁。

公子围（就是后来的楚灵王）为了邀功，与大夫穿封戌争夺皇颉，但这个穿封戌也不是吃素的，况且这确实是他当场俘虏的，哪能轻易让他人占据自己的功劳呢？二人相持不下，于是楚康王让太宰伯州犁评判。伯州犁虽位至高官，但他原是晋人，不愿轻易得罪楚国这些贵族权臣，尤其不能得罪公子围，所以他为求自安，只能偏袒公子围。善于计谋的他，当然不会在面上让人看出他的意图，于是他对着两人说道："你们二位争夺的这个俘虏是一位君子，我们去问问他不就知道真相了吗？"他当着皇颉的面，故意抬高手，指向公子围介绍道："这位是我们君王的弟弟公子围！"手又低了低，指向穿封戌说道："这位是方城的一个县尹！"接着，他问皇颉："你说，是哪一位把你抓住的？"皇颉一看就明白了，应声说道："我遇到王子，被王子打败了。"这意思很明白，他是被公子围俘虏的。穿封戌气得七窍冒烟，拔了剑就要杀向公子围。公子围逃得快，才没被刺中。最后还是楚康王出面，同时对两人进行奖励、宴请，才得以调停。

同年，仍然臣服于楚国的许国与已附晋国的郑国发生冲突。许国国小兵微，奈何郑国不得，许灵王亲赴楚国请援兵伐郑，然而楚兵未出，许灵王就病逝于楚。楚康王信守诺言，统兵伐郑，取胜后才归楚葬许灵公。

纵观楚康王的伐郑之战，有时是为了与晋争夺对中原一带的控制权，有时是为了替手下的附属国报仇雪恨，有时是为了从侧面缓解盟国所受到的军事压力。其战虽并不激烈，场面并不宏大，但却将一个执著向上、疾恶如仇、奋发有为的楚王形象入木三分地刻画在我们的脑海。

楚康王时期，楚国面临着东有吴国侵扰、北有晋国争夺的这样一种腹背受敌的政治环境。为了改变这一不利局面，楚康王实施了远交近结的外交战略。

公元前 559 年，晋国率联军攻打秦国，秦国向楚国求救，楚国借机与秦建立同盟关系。公元前 555 年，晋国又攻打齐国，楚康王派军讨伐郑国，迫使晋国放弃齐国而解救郑国。齐灵公对楚康王危难之际出手相救，非常感动，两国再次缔结盟约，建立友好关系。这样，楚康王就西结秦、东联齐，有效地牵制了晋、吴的威胁，特别是给晋国增加了很大的心理压力，使得晋国在制定对外策略，尤其是对待楚国的政治态度方面，不得不谨慎。

关于陈、蔡、许、卫这些小国，它们惯于见风使舵。为了更好地控制这些小国，楚康王颇费周折，以军事打压和外交斡旋相结合的政策，多次瓦解了它们投靠晋国的谋划，使得它们依附于楚国，同楚国建立友好关系。如公元前 553 年（楚康王七年），蔡国司马公子燮借口楚国经常讨伐蔡国，企图投靠晋国。楚康王得知这一消息后，立即向蔡国施压。蔡国国君认真考虑了与晋、楚的政治关系及发展前途，认为蔡国距离楚国近，摆脱不了这一大国的控制，既然这样还不如倒向楚国，有这棵大树罩着，可以更好地乘凉。为了表示对楚国的友好诚意，蔡国国君下令处死了公子燮，与楚国缔结盟约。

陈国也同样。陈国有庆虎、庆寅两兄弟，他们与公子黄矛盾很深，为了铲除公子黄及其势力，他们想求助于楚国。于是，他们派人向楚康王进言，陈国公子黄与蔡国公子燮一样，想策划陈国投靠晋国，请楚康王出面救救陈国。楚康王当然不会拒绝，立即发兵征讨，公子黄只好弃城而逃。三年后，陈侯出访楚国，庆氏两兄弟趁机谋反篡权，想归附晋国。陈侯恳请楚康王帮其剿灭叛乱者，保护陈国社稷。楚康王爽快地答应了，派兵前往镇压，赶走了庆氏两兄弟，铲除了他们的势力。同时，楚康王命人护送陈侯和早已归楚的公子黄回国。国家失而复得，陈侯对楚康王危难之际的救命之恩，非常感激，遂与楚国签订永世称臣纳贡之盟约。

当然，不论楚国还是晋国，内外矛盾都很多，双方的统治集团也无力继续发动大规模的争霸战争，他们实际上都在渴望和平，以便巩固自身的统治地位。而追随这两大诸侯国的那些小国，更无心也无力与它们周旋下去，夹板气的感觉让人无法忍受，所以停止战争、寻求和平，成为它们共同的夙愿。宋国是最受冤枉气的小国，吃的苦头也最多，故它主动、积极、热心地充当了晋、楚第二次弭兵之盟的发起者。

宋国大夫向戌与晋国的大夫赵武和楚国令尹子木关系很好，开始游说于两国之间。他先来到晋国，向赵武说明来意。晋国大夫韩宣子说道："战争确实给百姓带来了苦难，也消耗了大量国家财富，完全消除战争，这很难，但少一些攻伐，我们还是可以做到的。我们应该答应向戌的提议，否则，如果楚国先允诺，并以此来号令诸侯，那么我们晋国就陷于被动，从而真正失去霸主的话语权和地位了。"赵武等人觉得这番话很有道理，于是晋国就接受了向戌的倡议。随后，向戌又来到楚、齐、秦等国，同样进行一番游说，这些诸侯国都答应了。

公元前546年（楚康王十四年），楚、晋、鲁、蔡、卫、陈、郑、许、曹、滕等国的代表齐聚于宋国，举行春秋时期的第二次弭兵之会盟。

大家都按时进入会场，当然各国的军队只能驻扎在郊外。当楚国代表翩翩走来时，一些诸侯代表吸了一口凉气，因为他们看到楚国代表的外衣里穿着皮甲。晋大夫叔向说："大家不用担心，一个大国，在这么多诸侯会盟时，如果作出不守信用、背信弃义的事，一定没有人愿意归附它，它就会成为孤家寡人。"其实，楚国根本没有要发动武装袭击的计划，至于皮甲的穿戴，可能与他们的习俗有关。

在盟约内容方面，宋国起草了一个初稿，会上让大家讨论，然后再由宋国负责修改，经各国最终确认后，再正式签订盟约。

开始楚国令尹子木提出，跟从楚、晋两国的诸侯互相朝见。赵武反对这一点，他认为，晋、楚、齐、秦四国地位平等，晋国不能指挥齐国，楚国也不能指挥秦国。其他诸侯代表也纷纷发表了自己的看法。协议结果是，除了齐、秦两大国和附属于它们的小国外，原来分属于楚、晋的各国现在变成双方的附庸国，对两国要尽同样的义务。

会盟还有一个仪式，即歃血盟誓。这时候，晋、楚都想先来。晋人的理由是，晋国本来就是诸侯的盟主，从来没有人在晋国之前歃血的。楚人的理由是，既然你们已经承认齐、秦、晋、楚地位平等，如果晋国永远都在前面歃血，不就意味着不平等吗？而且楚取代晋成为盟主已经很久了，这次也该由楚国先歃血了吧。晋国叔向见双方争执不下，就劝赵武让步，由楚国先歃血。

这次弭兵之盟的签订，使得近半个世纪中原地区的战争大大减少，呈现出和平友好的景象，对于各国的百姓生活和生产是十分有利的。当然，这样的会盟，只不过是大国之间的一次平均瓜分而已，一些小国永远都是受奴役和压迫的对象。

第二次弭兵会盟也意味着楚、晋争霸接近尾声。而公元前537年（楚灵王四年），晋平公将女儿嫁给楚国，晋、楚长达百年的争霸战争基本宣告结束，取而代之的是楚国与长江下游的吴国之间的争霸斗争。

客观而言，弭兵之会中楚国得到的东西远比晋国得到的东西多。此后，楚国北面的威胁基本得以解除，楚国可以将全部之力转向与吴争战。

楚共、康王时代，在先祖开疆扩土、入主中原、发展生产的基础上，楚文化得到了极大的发展，繁荣兴盛，硕果累累。大量考古实践证实了这一点。如20世纪70年代发掘的河南淅川县下寺的24座楚墓，所出大量青铜器，显示出楚国青铜铸造的新工艺，证明早在春秋时代楚国已有高度发达的熔模铸造工艺，令当今世人为之惊叹。西方的熔模铸造技术，虽发明得比中国早，但发展得却比中国慢。西方所留下的古代熔模铸造品，与楚国相比，显得有些粗糙、简单。

楚国的青铜礼器虽最初来自于对中原的学习与模仿，但到春秋时代，已发展为具有自己独特风格的工艺了。尤其是楚国的青铜编钟，超过了同时期的中原水平。铸造青铜编钟，要求具有很高的技艺，稍有不慎，就会前功尽弃，事先必须设计好各件钟的不同声响，制作好各件钟的不同熔模，调剂好各种材料的配比，然后才可以正式铸造。古人没有现代的科学仪器，全凭经验来把握，因此没有非常娴熟的技艺，是不能胜任这一工作的。下寺所出的甬钟，最大的通高 1.22 米，重达 160.5 公斤。楚文化青铜器的总体风格是器型清秀，工艺精巧，纹饰富丽。

在语言文化方面，这一时期的楚人，已能熟练地使用中原语言，还常常引经据典，这对促进华夏民族一统是有积极意义的。

楚康王在位 15 年，公元前 544 年（楚康王十五年）病死，其长子继位，是为郏敖，以叔父公子围担任令尹，执掌朝政大权。

公子围是个贪婪暴戾之人，有很大的政治野心，根本不把他的这个侄子放在眼里。他当了令尹一职，便拉拢朝中大臣和贵族，扩充自己的党羽，甚至常以国君自居。这不仅引起宋、陈、郑、卫等周边诸侯的不满，而且使得楚国国内怨声载道，对其产生了仇恨。有一次公子围出去打猎，一个叫芋尹无宇的大夫看见他竟挂着国君才能使用的旌旗，愤怒地砍断了旗杆，并骂道："一个国家怎么能有两个君王，还不反了天了。"

公子围不仅没有收敛，反而更加狂妄，不断地打击那些不服从于他的忠诚之士，以削弱反对他的力量。

公元前 541 年春，公子围亲自前往郑国迎娶丰氏女为妻。由于随行士兵很多，迎亲队伍浩浩荡荡地开往郑国国都，像是打仗一样。将入国都时，郑人将其拦截下来，理由是公子围这样的阵势不像是来娶亲的，倒像隐藏某种祸心。公子围为了尽快见到日思夜想的心爱之人，只好命令士兵倒悬箭囊，以示无箭可藏，这样才被允许进入城内。迎亲之后，他参加一个诸侯会盟，气派俨然像一个国君，随从诸侯对其颇有微词，但他毫不理会。

是年冬，公子围奉命出使晋国，伍举为副使。当他们走到楚国边境时，有自己的密探禀报郏敖病重。公子围觉得机会来了，于是他一方面命伍举继续出使晋国，以免引起他人怀疑；另一方面自己率领亲信秘密返回楚国国都。当他回到国都自己的府中后，连夜策划夺位行动，让自己的党羽包围了王宫，而自己假惺惺地进入宫殿，来到侄子的床前，握着侄子的手说道："听说你生病了，叔叔赶紧回来看看你，不要紧吧？"他一看郏敖还处于高烧、昏睡状态，便趁机解下自己帽子上的缨带，亲手勒死了自己的侄子。这时屏风后面的宫女正带着郏敖的两个儿子前来看望父亲，一看到那惨状，他们一下子慌了神，不知如何是好。说时迟那时快，公子围一个箭步蹿上去，拔出宝剑，刺死了这两个可怜的小孩。

公子围派人前往郏地杀死了太宰伯州犁，这也是伯州犁为了苟且偷安而放纵的后果。公子围的两个弟弟，听到哥哥发动宫廷政变，一个跑到了郑国，另一个跑到了晋国。其他大夫和贵族也不敢公开对抗。这样，公子围控制了朝中大权，登上了国君的宝座，即楚灵王。

楚灵王即位之初，晋国有贤臣叔向，郑国有贤臣子产，齐国有贤臣晏婴，北方相对和平、安宁。而这对楚国争霸是不利的。

郑国对公子围毫无好感，当公子围即位为楚灵王时，郑国没有立即前往祝贺。楚灵王很不高兴，多次责问郑国为什么不来道贺。郑国还不想也无实力与身边这一大国闹僵，于是先派使臣向晋国说明事情原委，得到晋国同意后，由贤相子产陪着郑简公来到楚国，向楚灵王表示祝贺。楚灵王热情地接待了来宾，并邀请郑简公到一个叫"江南之梦"的地方打猎游玩。

公元前538年（楚灵王三年）春，许悼公也来访问楚国，楚灵王格外高兴，邀请许悼公、郑简公一起打猎游玩。爱慕虚荣的他决定召集一次诸侯会盟，邀请各诸侯国国君前来楚国游玩，想在各诸侯面前显摆显摆。

是年夏，楚国在申地大会诸侯，到会的有陈、蔡、郑、许、宋等11国和淮夷等，这是楚灵王第一次会盟诸侯。可是，鲁国和卫国没来参加，宋国只是派了一个代表。这使楚灵王很不愉快。更使楚灵王恼怒的是晋国也没有参加。大臣伍举告诉灵王："这情况不是一个好兆头，我们一方面要对到会各国以礼相待，同时也要展示我们的武力，使诸侯心有敬畏，然后再讨伐那些没有到会的诸侯。"楚灵王没有把他的话放在心里。他在这次会盟中，处处表现出骄纵的习气。他当场侮辱别国派来的使臣，杀死一些无辜的下属，并且对到来的各国君王毫无礼貌，这为以后埋下了祸根。

会后，楚国趁势率领联军攻打吴国，派莫傲屈申包围并攻占了朱方（今江苏镇江东南）。楚灵王为了显示他的强权声威，他还俘虏了庆封。这个庆封原是齐国的大夫，与崔杼合伙谋杀了当时在位的齐庄公，另立齐景公为新的国君，崔杼任右相，他为左相。两年后，他杀了崔杼，独掌齐国大权。没过多久，齐国的其他贵族联合攻灭庆氏，他的儿子被杀，他侥幸跑到鲁国，后又来到吴国。吴王把朱方赐给他，让他好好保卫吴国边疆，没想到，被楚国俘虏了。

楚灵王杀死了庆封的族人，将他拉到街上示众。大夫伍举劝谏他说："臣听说向来都是毫无缺点的人才能杀戮他人。庆封是犯了以臣弑君的罪过，才至如此，他肯服服帖帖地让我们将其游街示众吗？如果他在众人面前说一些不好听的话，那么大王您的脸面何在？"这是在提醒楚灵王，不要适得其反让庆封抖搂楚灵王杀死自己的侄子而夺得君位这件不光彩之事。但这个狐假虎威的楚灵王根本不听这一套，让人在庆封后背上放一个八斤重的斧钺，在诸侯军队中游行示众，还命令庆封自己说，大家都不要学庆封的样子。他杀死了自己的国君，欺压老百姓，还强行让大夫们都支持他。但庆封对楚灵王不服，没有按照他说的去做，而是反唇相讥，高声喊道："大家不要像楚共王的庶子围那样，杀死了自己的国君，那国君便是自己亲哥哥的儿子，还要强行让诸侯们支持他。"庆封这一句话羞辱了楚灵王，也羞辱了楚国。楚灵王恼羞成怒，传令把庆封杀了。

同年冬，吴国为了报仇，派兵讨伐楚国，夺取了楚国的三个县邑。

公元前537年（楚灵王四年）春，楚灵王以通敌的罪名把莫傲屈申处死了。

是年冬，楚灵王再次率领联军进攻吴国，目的是夺回失去的县邑。楚军兵分两路，一路尾随吴军，打算伺机偷袭，没想到被吴军杀了个回马枪，终被击溃；另一路大军由楚灵王亲自率领。吴王为了刺探军情，派自己的弟弟蹶由前往犒劳楚军。楚灵王觉得这个家伙不怀好意，于是囚禁了他，准备杀他来祭祀战鼓，消灭吴国。行刑前，楚灵王问道："你来之前占卜了吗？吉利还是不吉利？"蹶由不慌不忙地回答说："吉利，我告诉你，我们君王派我来就是探听你们的虚实，从而加强戒备。如果你高高兴兴地迎接我，那么我们吴军就会因此而放松警惕，那样可能会遭到灭亡。你现在准备杀我来祭战鼓，这样的话，我们君主就会加强戒备。因此，我所说的吉利是我们吴国的吉利，而不是我个人的吉利。"楚灵王知道吴国已有戒备，就没有杀他，而仅仅是检阅军队，向吴王示威。吴军面对楚军的威势，也没有轻易出动攻击。相持了几天，楚灵王命令部分军队继续防御吴军，自己则率领主力回到了国都。

公元前536年（楚灵王五年）夏，公子弃疾奉命出使晋国，途经郑国时，郑简公率众出城迎送，公子弃疾很感动，觉得愧不敢当。在郑国君臣的执意邀请下，他才像朝见楚王那样觐见郑简公。临走时，弃疾赠送给郑国君臣很多马匹，并下令随从和士兵不得践踏郑国的一草一木，不得强求所需，违纪者严惩不贷。在返回途经郑国时，同样如此。郑国君臣感叹说，楚国能有这样谦恭的大夫，真是难得，此人日后必成大器。弃疾的谦逊有礼与楚灵王的傲慢无礼形成了鲜明的对比，这也为弃疾成为楚王奠定了外部条件。

是年秋，徐国公子仪楚来到楚国进行访问，而楚灵王以徐亲吴为由，软禁了公子仪楚。不料，公子仪楚想法逃回了徐国。楚灵王遂派人前往伐徐。徐国向吴国求救，吴国出兵救徐。楚灵王又对吴国进行征伐，但失败而归。

公元前 534 年（楚灵王七年），陈国发生内乱。楚灵王不仅没有行使一个盟主的责任与义务，前往协助陈国国君镇压叛乱，反而打着“安定尔国”的旗号灭了陈国，使其成为楚国的一个县邑。

公元前 531 年（楚灵王十年），楚灵王以丰厚的礼品和甜言蜜语把蔡侯骗到申地，预先设下伏兵，在宴席之中俘虏了蔡侯和随从共七十余人，随后以“杀父夺权”之罪处死了蔡侯及全部随从人员，并出兵消灭了蔡国，也使其成为楚国的一个县邑。

楚灵王灭陈、蔡，实际上是干了楚庄王想干而未能干的事。从主观来讲，这是楚灵王自己的贪婪和霸道，但客观上却推进了楚国霸业的继续。

公元前 530 年（楚灵王十一年），楚灵王假借狩猎之名来到州来，同时派人包围徐国，想以此威胁吴国，而他自己则在一个风景宜人的地方寻欢作乐。两年后，吴军攻占州来，州来又沦为吴国的一个县邑。

公元前 529 年（楚灵王十二年），楚灵王的几个弟弟发动叛乱，楚灵王慌慌张张地撤兵，包围徐国的部队也随之而撤退，吴军趁势追杀，楚军大败。

楚灵王在位期间，肆无忌惮，为所欲为，刚愎自用，打击忠良之臣，使得国内臣民对其非常不满，只是敢怒不敢言。他一系列随意的对外征伐，也引起了“国际”舆论的谴责。

楚灵王贪图享受，大造宫殿别苑，讲究富丽豪华。在古华容县城（今湖北潜江西南），楚灵王造起了一座离宫，名为“章华宫”，占地 40 里。中建高台，台基长、宽各 15 丈，台高 10 丈，叫做“章华台”，欲登上台顶中间要休息三次，所以又叫“三休台”。台上有楼阁，阁上雕龙画凤，极其精美。在北方有台未必有榭，而在楚国，有台必定有榭。就其高耸的土筑工程而言则为台，就其空灵的木构工程则为榭。

在建造这座豪华行宫的过程中，楚灵王借机肆意掠夺和侵占一些贵族的权力和财富。楚灵王曾下令接纳逃亡的私家仆役，让他们在章华宫服役。这实际上是削弱贵族的经济实力，是对贵族露骨的挑衅。有一次，大夫芋尹无宇的守门人逃进了章华宫，无宇前去捉拿，在没有禀报的情况下闯入章华宫中，结果被卫士押解到楚灵王的面前。前面说过，当楚灵王还是公子围时，就与这位仁兄发生过冲突。现在公子围可是君王了，芋尹无宇心里没底了，今天肯定是凶多吉少，干脆豁出去了。他向正在饮酒的楚灵王慷慨陈词了一番，说只有像商纣王那样的君主，才大肆搜捕那些逃亡的私家仆役。出人意料的是，这次楚灵王没有生气，而且允许芋尹无宇把人带走。

章华台竣工之后，楚灵王为了显示自己的虚荣心和威势，召集各国诸侯前来参加落成典礼。但诸侯们并不领情，都以各种理由拒绝参加。最后在武力胁迫下，只有鲁昭公一人登台参加仪式。当仪式举行完毕时，楚灵王大加宴请这位给自己撑门面的客人。但他的目的不是为了好好招待这位远道而来的贵宾，而是借机卖弄他的奢侈之心。楚灵王拿出自己心爱的一副弓箭，赠送给了鲁昭公。刚给完，就有点后悔了。旁边一位大臣看出了楚灵王的心思，于是他一面向鲁昭公道贺，一面对鲁昭公说："齐、晋、越三国国君早就想得到这把良弓了，但都未能如愿以偿，而大王您得到了它，实在可喜可贺，您可要把它藏好了，也要防备齐、晋、越这三国呀。"鲁昭公并不愚钝，他一听这话音，就明白了，于是，说了一番客套话，把这宝弓还给了楚灵王，真是滑稽可笑之极。

还有一次，楚灵王与大臣伍举登临章华台。楚灵王实际上是一位舞蹈家，也是一位诗人，只不过他的诗反映的是他的奢华与傲气。见到章华台下的美景他赞美道："好美啊，美极了！"伍举却提出了自己的认识，他说："美是无害的，是自然客观的，如果我们赋予它一些人为的因素，那么它就不美了。"他这样说的主要意图是提醒和劝谏楚灵王不要大兴土木，劳民伤财，但也折射出他们二人对美的理解和认识，这是楚文化的重要贡献。伍举强调的是理性之美、自然之美，而楚灵王看重的是感性之美、雕琢之美。

后人对楚灵王建造章华台给予批评，汉代东方朔把楚灵王的章华台与秦始皇的阿房宫相提并论，“灵王起章华之台而楚民散，秦兴阿房之殿而天下乱”。

除了章华台外，还有两件事让后人非议与指责楚灵王，也都与美、乐有关。一件是好细腰，一件是好巫音。

楚灵王有一个爱好，即喜欢腰细的人，楚国国都里的人往往节食来达到君王要求的细腰之身。这就是“楚灵王好细腰，而国中多饿人”。史书记载：“昔者楚灵王好士细腰，故灵王之臣皆以一饭为节，胁息然后带，扶墙然后起。比期年，朝有黧黑之色。”这是说，从前楚灵王喜欢他的臣子有纤细的腰身，所以朝中大臣，一日只吃一餐。起床整装之时，先要屏住呼吸，然后把腰带束紧，扶着墙壁站起来。等到一年后，满朝文武官员的脸色都是黑黄黑黄的了。后来有些文学家常谈及，“楚王宫内，无不推其细腰。”这里所说的细腰，主要针对的是男子。

对女子，楚俗更以腰细为美。在楚国的美术作品中，女子无不细腰。女子细腰尚不足为奇，而男子细腰才是楚俗所偏爱的。

“楚之衰也，作为巫音”，这指的就是楚灵王喜欢巫音，而导致楚国衰落。他把村野的巫音引入到宫廷中，这是宫廷乐舞的一大变革。

楚灵王还大修城郭，如加固陈、蔡二城，消耗了大量人力物力，大夫申无宇说：“楚祸之首，将在此也。”

楚灵王以霸主自居，在与各诸侯国的交往中往往妄自尊大，接待诸侯时，常讲求排场，铺张浪费，他的大臣告诫他不要这样做，他非但不听，反而更加倒行逆施。在他上台的第三年，郑国的子产就说：“我对楚国不再担心了，像现在这样骄纵而不听劝谏的楚王，他的统治不会超过十年。”

楚灵王胆大妄为，他要利用当时的财富和甲兵，去追求自己所谓的权威和声誉。他的文才和武略并不出众，但他极为自负，群臣的谄媚、诸侯的逢迎，让他沉浸在享乐的世界，丝毫觉察不出任何危机。他自己始终以明君自居，似乎用不着所谓的雅量和贤才。

楚灵王的胡作非为，终于引来了杀身之祸。楚康王时期，观起曾被车裂，他的儿子观从逃到了蔡国，当上了蔡国大夫朝吴的家臣。蔡国被灭之后，公子弃疾被封为蔡公。朝吴与观从就成了弃疾的部下。他们非常痛恨楚灵王，日夜谋划报仇复国。观从假借弃疾的名义，将流亡在外的楚康王的另两位公子子晳和子干秘密召回蔡县，并唆使他们与公子弃疾联合反抗楚灵王。随后，他们积极策划原陈、蔡的臣民参加暴动，组成了一支联合部队，由朝吴率领，向楚国国都进发。

防守国都城门的是蔡侑，他是蔡国人，其父就是被楚灵王处死的蔡侯随从之一，因此他对楚灵王也是家仇国恨。当时，楚军进攻蔡国，他奉命去晋国求援，在回来途中被楚军俘获，留在楚军。他很会察言观色，忍气吞声地跟随楚灵王左右，使得楚灵王逐渐对其放松警惕，而且还派他坚守国都城门，但家仇国恨在心里始终存在。

当起事之军到达国都城门时，蔡侑积极配合，不费吹灰之力，这支联军就直入都城，控制了局势，夺取了政权。在这三个儿子中，子干年龄最大，被立为国君，子晳任令尹，弃疾最小，任司马。

这时的楚灵王，正在乾溪这个风景怡人的地方玩乐。子干派观从来到这个地方，到处宣传鼓动，分化瓦解楚灵王的警卫部队。有些人早已恨透了这个暴君，于是他们纷纷离开回到国都。楚灵王一听都城发生宫廷政变，便率领警卫部队前往都城平叛。但一路上都有士兵逃跑，还没等到达国都，就只剩下为数不多的士兵和几个随从了。楚灵王此时是众叛亲离，无计可施，瘫坐在地上。他的一个贴身随从向他进言说："请大王回到国都郊外，听从国内臣民的处置吧；或者暂时到大的都邑，向他国求援。"楚灵王说道："众怒不可犯，现在已无法挽回了，决不能向其他诸侯求援，那将是自取其辱。"随后，连这些随从也离开了他。

这时候的楚灵王真的成了孤家寡人了，但他还念念不忘他的霸王梦，尽管不得不沿街乞讨，但他还穿着龙袍，戴着王冠。一天，楚灵王走进了一座深山，迷失了方向，他很害怕。恰好他遇到了昔日的一个侍臣，楚灵王赶紧对他说，自己已经三天没吃没喝了。这位老部下给他准备了饭菜，并让其睡在自己的腿上。就这样，楚灵王美美地进入了梦乡。醒来后，发现自己枕在一个土块上，那位老部下早已远去。因为，新王规定，敢给灵王进食者，罪及三族。楚灵王很无奈，绝望了，于是上吊自杀。

此时，芋尹无宇已去世，他的儿子申亥继承父亲的职位。申亥觉得先父多次触犯楚灵王而得到宽恕，在楚灵王危难之际，不能袖手旁观。于是他只身前去寻找，在一个村寨的棘门旁边发现了楚灵王的尸体。申亥悄悄地把楚灵王的遗体背回家，埋葬在了自家屋后的一棵小树下，让自己的两个女儿为楚灵王殉葬，这是多么忠诚的臣子，如果楚灵王泉下有知，也有丝丝宽慰了。

当时的人们并不知道申亥埋葬楚灵王的事，所以楚灵王的下落一直是个谜，但楚平王估计他的这位哥哥已不在人世。经楚平王授意，他的亲信杀死了一个与楚灵王长得很像的人，给他穿上王袍，抛入汉水中，这一切都是绝密的，外界无人知道。然后，楚平王派人当众把他打捞上来，说是楚灵王的遗体，并匆匆下葬，借以安定人心。几年后，楚国局势平稳了，申亥才说出了事情的真相，楚国才把真正的楚灵王遗骸运回国都，以王礼安葬。

楚都的阴云并未因楚灵王的逝去而烟消云散，似乎又隐藏着另一份杀机。论资排辈，子干当了国君。这对于弃疾来说，似乎并不公平。因为弃疾觉得，这场政变是由他的蔡地为主导力量发起的，同时自己的功劳最大，理应由自己继承王位。观从看出了这一不妙的形势，建议子干杀掉他的弟弟弃疾，以免后患无穷。子干不忍心灭自己的亲弟弟，观从劝谏说："您发慈悲，不忍心杀死别人，可别人并不这样想，他们会杀死您的。"在劝说无果的情况下，观从离开了楚国。

这时，楚国都的臣民还不知楚灵王的驾崩。弃疾想利用楚灵王的幽灵来完成他的夺君之计。他让人大肆宣传，说楚灵王即将率领大军攻入国都。子干和子皙兄弟俩，有点半信半疑，总觉得心神不宁，毕竟是造了哥哥的反。一天夜里，有个随从突然慌慌张张地跑入宫中向子干等报告说："楚王打回来了，马上就要杀进宫中，弃疾亦被杀死，大王您赶紧做准备，免得被抓受辱。"话音未落，另一个随从又跌跌撞撞地跑进来："不得了了，大批人马杀到王宫门口了。"其实，这两个禀报的随从早已被弃疾收买，是故意造谣的。子干等人吓得魂不附体，此时他们真觉得楚王杀回来了，自己的罪行是不会得到哥哥及臣民的原谅的，于是子干、子皙兄弟俩自尽谢罪。

弃疾就这样达到了他夺取王位的目的，因为他的四个哥哥全部死去，所以唯有他最有资格成为楚国新的国君。他就是历史上的楚平王。

对贤明的君主，后人往往会锦上添花，甚至凭空给他追加一些美德美政，而对顽劣的君主，后人惯于雪上加霜，尽可能多地罗列罪名，楚灵王的遭遇正是后者。

相比楚灵王，楚平王是一个城府很深的人，他并不张扬，但也很跋扈，他追求平稳，但嫉恨贤才，在他统治的 13 年里，楚国发生了从未有过的人才流失现象。这造成了楚人终身无法解开的心结。

楚平王即位后，首先是封赏有功之臣，即帮助他夺取王位的忠诚之士。他任蔓成然为令尹，观从为卜尹。卜尹属神职一类，很少有人愿意担任。可见，观从还是比较谨慎的，也反映出他的睿智。子革为右尹，负责接济贫民，安抚众民，稳定社会秩序，举荐贤才。楚平王下令，楚国全体臣民休养生息五年，之后才能考虑用兵。

对待诸侯方面，他信守诺言，恢复了陈、蔡二国，并让原来一些诸侯国迁徙到楚的族人回到他们的国都去。为了与郑国和好，楚平王把原来夺取的两个县邑归还给郑国。在这样的惠民和友好外交的形势下，楚国的局势很快平稳下来，这让楚平王很满意，也很得意。

可是令尹蔓成然有些飞扬跋扈、贪得无厌，他与当时的巨富养氏争夺财富，双方互不相让。公元前 528 年（楚平王元年），楚平王杀了令尹蔓成然，灭了养氏。这一一石二鸟之策，让朝中为之震惊。事后，楚平王任命蔓成然的儿子为郧公，这既安抚了元老，避免他们群起抗争，威胁君权，又可收揽人心。

“国际”环境对楚国还算有利。北方相对来说比较安宁，只是东方并不那么让人放心。楚、吴争夺继续进行。公元前526年（楚平王三年），吴师来伐。结果楚师大败吴师，还擒获了吴师的一艘国宝级战船，叫余皇。楚人把它抬上岸，挖了个深坑，埋在里面，并派人严加看守，准备第二天运回楚国。吴师心疼自己的国宝，决定抢回。他们埋伏在河岸的周围，并派三个长有胡须的人化装成楚人混入守卫战船的士兵当中（因为楚人男子有留胡须的习俗）。他们约定，深夜时分，一起高喊“余皇”的名字，引起守卫的楚人的惊乱，趁机挖出战船抬回吴国。结果，楚人上当遭到伏击，又失去了吴国的这一国宝。

总的来讲，楚平王初期，楚国对北线与东线的基本方针是维持原状，求得安宁，宁固守，勿冒进。

然而，越发平静的日子，似乎越让人沉闷得喘不过气来。即将发生的一场微不足道的风波，打破了这个沉寂多时的安宁政局。更值得我们注意的是，这场无事生非的政治风波，20年后，竟化作一股飓风，摧毁了楚国国都，打垮了楚国臣民，成为楚国历史上的一大变局。

楚平王娶了蔡国国君的女儿，生了太子建。即位后，楚平王任命伍举的儿子伍奢为太子建的太师，费无极为太子建的少师。太子建喜欢伍奢，而疏远费无极，甚至对他很厌恶。这让费无极心里不痛快，也嫉恨伍奢。公元前527年（楚平王二年），太子建已15岁了，该娶妻生子了。楚平王在各诸侯中筛选了一下，觉得秦国国君的女儿瀛氏适合当自己的儿媳。于是他派费无极到秦国迎亲。费无极见到瀛氏后，觉得自己报复的机会来了。这女子长得貌美如花，如果把她推荐给楚平王，楚平王定会笑纳，这样他们父子就会产生矛盾。等瀛氏来到楚国，费无极就多次进宫，在楚平王面前说瀛氏如何如何美丽，劝说楚平王将其纳入后宫，然后再给太子建娶一个。楚平王一见瀛氏就两眼发呆，这个好色之徒，竟然不顾最起码的伦理道德，毫无顾忌地霸占了本来应是自己的儿媳的瀛氏，另给太子建娶了一个齐国的姑娘。由此，楚平王对费无极宠信有加。费无极害怕太子将来继位后对他不利，于是他要置太子于死地。公元前523年（楚平王六年），楚平王又采纳费无极的建议，让太子建镇守城父（今河南宝丰东），主管方城以外。

更为糟糕的是，公元前522年（楚平王七年），费无极又在楚平王面前进谗言说，太子建怨恨大王和他争夺美女，于是和他的老师伍奢密谋以齐、晋为外援发动叛乱。楚平王此时正沉迷于美色和天下太平之梦中，没有多想就信以为真，赶紧召见伍奢。伍奢说道："君王收纳了太子的妻子，这已是很严重的了，您现在又听信谗言，非要弄得骨肉分离、家破人亡吗？"楚平王不但对此置若罔闻，还把伍奢囚禁起来，派城父司马奋扬去杀太子建。

奋扬是一个正直的人，他平时对费无极无好感，于是他先让人通知太子建，然后自己慢慢往城父赶。太子建得知这一消息后，就带着自己刚出生的儿子连夜跑到宋国。奋扬知道太子建成功逃走后，就让城父的大夫把自己绑起来，押解到国都。楚平王生气地问他："是谁走漏了风声？"奋扬毫不掩饰地说："大王，是我告诉太子建的。"楚平王听后勃然大怒，吼道："你为什么这样做？"奋扬答道："大王曾经嘱咐臣要像服侍大王一样服侍太子，臣虽不才，不敢三心二意。臣按大王先前的嘱咐执行，不忍心按大王后来的命令执行。虽然我知道错了，但已来不及了。"楚平王问："那么，你怎么还敢来见寡人呢？"奋扬说："臣没有完成大王交给我杀死太子的使命，如果召我我又不回来，岂不是又一次违抗命令，这样的人，又能够往哪里逃呢？"楚平王这时也冷静下来，觉得奋扬的话有些道理，于是释放了奋扬，让他回城父继续做他的司马。

伍奢有两个儿子，长子叫伍尚，次子叫伍员，字子胥，所以习惯称伍子胥。他们都很有才干，尤其是老二伍子胥，是难得的人才。只可惜楚国没这个福分，硬是把他拱手送给了他人。为了斩草除根，消除后患，费无极对楚平王进言说，如果伍奢的两个儿子投奔吴国，那么他们就会唆使吴国前来攻打楚国，到时楚国可就危险了。楚平王问费无极如何才能抓住伍奢的两个儿子，费无极说道："我们告诉伍奢，也传话给他的两个儿子，如果他们两个前来，大王您就会赦免他们的父亲，反之，他们的父亲就会被处死。他们为了保全父亲，肯定会束手就擒的。"楚平王同意了这一计谋。

伍奢听了后，含着眼泪说道："我的大儿子伍尚肯定会来，但我的二儿子伍员是不会来的。"楚平王问道："你为何这样说？"伍奢答道："我很了解他们，伍尚是一个孝顺而有仁义善心的孩子，他是不会看着我被处死的，即使有危险他也会不顾一切来的；伍员则是一个有勇有谋的孩子，他不会感情用事，假如你们把我处死，日后向你们报仇的一定是伍员。"

伍尚与伍子胥哥俩得到消息后，一起商量如何是好。伍尚觉得，虽然这是陷阱，但不能眼睁睁地看着父亲被处死，或许他们回去了，君王真的就赦免了父亲。而弟弟伍子胥显得更理智，建议不要去，他说："如果我们不回去，他们怕我们报仇，父亲还不至于死；如果我们都回去，只能是同父亲一道被处死。"伍尚又说道："两人都回去，将来报仇无人，最好是只回去一个，这样既表达了我们的孝心，又有人报仇，我的才智不如你，就让我去吧，你留下来想法离开楚国，日后替我们报仇。"说完，兄弟俩抱头痛哭。

就这样，在伍尚的掩护下，伍子胥得以逃脱，而伍尚跟随使者来到国都。果然不出所料，楚平王下令将他们父子二人立刻处死，并派人四处搜索伍子胥。

伍子胥先是跑到宋国，见到了太子建，说明了一切，太子建也只能安慰他了。伍子胥决定跟着太子建，日后再寻机报仇。没过多久，宋国内部发生叛乱，为了躲避祸乱，他们又跑到了郑国。郑国按照贵宾之礼接待了他们，并赐予太子建一块封地，让他安心地住下来，再寻找机会打回去。太子建为了争取晋国的支持，以访问的形式来到晋国。晋国此时想利用太子建占领郑国，于是晋顷公对太子建说："听说您很得郑国国君的信任和赏识，如果您能做内应，帮助我们打败郑国，我们就会把郑国的土地封给您，您看怎样？"太子建一想，这样做既能得到晋国的支持，可图日后大业，又能得到封地，何乐而不为呢？于是他答应与晋国合谋灭郑。

他回到郑国后，郑国国君仍然热情接待。正当晋国派人与太子建商议具体的袭击日期时，太子建的手下因对其不满，将这一机密告诉了郑定公。郑定公下令搜查，逮捕了晋国的间谍，粉碎了他们的阴谋。

郑定公遂与子产商议，子产建议处死太子建，消除这个祸患。太子建被处死后，伍子胥害怕，连夜带着太子建的儿子胜逃到了吴国。从郑国到吴国，要穿过楚国的东北部。一路上，伍子胥不敢走大道，只能沿着山间小路前行。颠沛流离，其中的苦也只有他自己知道。当走到昭关时，因没有山路可走，只能进入城门，再继续往前走。把门的人一眼认出了伍子胥（因为旁边就贴着伍子胥的通缉像），准备扣押他，伍子胥谎称："国君要捉拿我，是因为我有一颗价值连城的明珠，但它现在不在我身边，我正是前去取它，如果你们把我扣押了，不让我去，那君王怪罪下来，你们可得吃不了兜着走。"门卫一听，只好放他走了。

伍子胥带着胜刚到岸边，就看见身后尘土飞扬，知道是追兵来了。正着急时，看见一条渔船向岸边驶来，他赶忙喊："渔夫渡我，渔夫渡我。"渔夫一看远处有官兵在追来，便唱起了渔歌，并暗示伍子胥躲进旁边的草丛中，然后再悄悄上船。

到了对岸，渔夫看到伍子胥和胜又累又饿，忙说："你们先在这棵大树下歇会儿，我去给你们弄点饭来。"渔夫一走，伍子胥就藏到了芦苇中，他对这个渔夫有些不放心。当渔夫回来时，发现人不见了，喊道："快出来吧，不用怕。"伍子胥环视四周，没有可疑的情况，这才从芦苇中走出来。渔夫问道："我去为你们找吃的，为什么还要躲避，是不是不放心我？"伍子胥连连说道："哪里哪里，您是我们的救命恩人，怎能不放心呢？"伍子胥先喂饱了孩子，然后自己也吃了点。他把自己的佩剑解下来送给渔夫，以报恩德。渔夫拒绝了他的赠送。伍子胥想问这位渔夫的姓名，好日后再报答。渔夫说道："今日萍水相逢，说明我们有缘。你是芦中人，我是渔丈人，何必要问具体姓名呢？富贵后莫相忘。"伍子胥连连道谢，点头称是。

此地不可久留，伍子胥背着孩子匆匆离开了。当他走出几丈远时，只听"扑通"一声，回头一看，渔夫连人带船一起投入江河之中了。伍子胥流着眼泪，向船沉没的方向磕头拜谢，对这位渔夫肃然起敬。

伍子胥来到吴国境内，才松了口气。此时他已身无分文，孩子又饿得哇哇大哭，只好沿路乞讨。一路艰辛，终于到了吴国国都，见到了吴王僚。

伍子胥吃饱饭后，大力向吴王宣讲进攻楚国的好处，说得吴王频频点头称道。而一旁的吴国公子光却极力反对征伐楚国，认为伍子胥是想报私仇而故意煽动，君王不能轻信他的话。伍子胥一眼看穿了公子光的算盘，他知道，公子光一向是主张攻打楚国的，今天却一反常态，无非是担心吴王重用他，妨碍公子光的执政地位。既然如此，何不将计就计，助他一臂之力，帮其实现梦想，然后再借他的手伐楚。

伍子胥帮公子光挑选了一位任侠之士，名叫专诸，自己留在吴国边境的乡下，暂时种地，等待时机。

当太子建逃离楚国来到郑国时，他的母亲也因此离开了楚都，来到娘家郹地。当得知儿子被杀的消息后，她悲痛欲绝，接着又听说孙子胜由伍子胥带着逃到了吴国，她便决定也奔赴吴国。

公元前 519 年（楚平王十年），吴国公子光率兵攻打楚国。太子建的母亲趁机随吴兵来到吴国国都。她千方百计，终于找到了伍子胥和孙子胜，一起在吴国住下，安心抚养，把复仇的希望寄托在孩子的身上。

公元前 518 年（楚平王十一年），吴、楚发生边民纠纷。起因是两地的养蚕之女为争桑树而相互扭打，事态越闹越大，楚女的家人杀死了吴女的家人，遂引发两地军事斗争。随后，楚平王与吴国公子光直接参战，本来一场小小的民间纠纷，结果却酿成两国之间的军事战争。楚平王率领队伍浩浩荡荡地转了一圈，以为达到了威慑吴国的目的，就回去了。谁知楚师刚撤走，吴师就攻占了楚国的这一边邑。

两年后，即公元前 516 年，楚平王去世。年仅 8 岁的太子壬继位，是为楚昭王。楚平王善终，但他把祸患留给了他的儿子楚昭王。楚昭王可谓是楚国的一位中兴之主。

楚平王比楚灵王聪明，他能保持清晰的头脑，装扮成良好的形象，密切地注视着臣僚，对危险的征兆颇为敏感，既不能容忍骄横跋扈的权臣，也不能容忍才高望重的贤臣，这种人一旦出现了，就必欲除之而后快。

楚平王因楚灵王的虐政引起国内动乱而率陈、蔡之师破郢，取而代之。楚平王即位之初，曾施行了一些革弊兴国的政策，但他不久就变得昏庸，重用佞臣费无极，娶太子建之妻秦女，轻信费无极编造的太子建谋反的谗言，株连重臣伍奢父子，逼得伍子胥奔吴。楚内乱以后刚趋稳定的政局又被破坏，埋下了日后吴师破郢、伍子胥鞭楚平王之尸的祸根。楚平王在位 13 年，这其间楚国政治黑暗的两个重要表现是嫉贤害能的“费无极现象”及由此而产生的“人才外流”现象，这既是楚为吴所败的原因，也是楚以后终至亡国的重要原因。

这 30 年里，楚、吴之间征战频繁，据不完全统计，双方作战达二十余次，其中以楚国进攻的次数为多，吴国多是报复性进攻，互有取胜，但楚国略占上风。总体来看，这期间并未发生具有重要战略意义的决战。

吴国公子光的宫廷政变，使楚、吴战局发生了重要转变。

还未等楚平王的新丧结束，吴国就对楚国发动了攻击。楚国不甘示弱，出动四路大军，对吴军进行拦截，使之进退不得。这样，吴王僚身边的亲信和谋臣基本上全在外率军攻打楚国，公子光觉得机会来了，便和伍子胥推荐的勇士专诸商议谋杀吴王僚。专诸倒是没有拒绝，但他说："我可以去杀君王，但我家里的老小怎么办？"公子光安慰说："如果你不幸被捕，那么你的母亲就是我的母亲，你的孩子就是我的孩子，我一定会好好照顾他们的，请放心吧。"于是，二人开始策划这一蓄谋已久的宫廷政变。

吴王僚其实多少有些觉察到了公子光的叛乱之心，当公子光邀请他前往赴宴时，他带上了自己的警卫队，并作了精心布置。从王宫到公子光的府门口布满了吴王僚的士兵，从府门口到坐席旁，也全都是吴王僚的亲兵，要想行刺确实很难，能够进出的只有端菜的人。但天外有天，人外有人，公子光早已作了精密策划。他知道吴王僚爱吃炙鱼，就让专诸学会了烹饪技术。同时，他也在地下室埋伏了甲兵。如何携带武器进入，就成了一个难题。因为吴王僚让每一个上菜的人，进入之前先脱光衣服，接受检查，再穿上他准备的衣服才能上菜。即使上菜的时候，也必须得跪在地上，以膝盖前行，慢慢放在几（即现在的餐桌）上。

但这也难不倒聪明的公子光，他让专诸把一把锋利的短兵器藏在鱼肚里，做得让人难以看出一丝破绽。吴王僚觉得自己做得很精细了，于是高兴地喝着、吃着。不一会儿，公子光假装脚疼，躲到地下室了。吴王僚借着酒兴，拥着美女，大声喊道："我爱吃的炙鱼怎么还不上来？"专诸赶紧端着这道美味走上前来，他脱光衣服接受检查，换好衣服，继续端着菜，以膝前行。吴王僚亲兵的利剑几乎碰到了他的身上。当靠近吴王僚的席时，他把鱼放在几上，突然扒开鱼肚，拿出准备好的短剑，快速地向吴王僚刺去，但同时，吴王僚亲兵的两把利剑也刺进了他的胸膛。吴王僚"哎哟"一声，倒在了地上。专诸也鲜血直流，嘴角露出了胜利的笑容。这时，早已埋伏好的公子光，率领自己的甲兵冲出来，控制了整个局面，杀死了吴王僚的亲兵。

公子光就这样夺取了王位，即位后即吴王阖闾。他论功行赏，任命专诸的儿子为大夫，伍子胥为行人，管理朝觐聘问的事务，并参与军政大事的谋划。

从此，吴王阖闾在谋士伍子胥的支持下，开始了争霸行动，伍子胥也借着这棵大树逐步实现自己的复仇梦。二人相得益彰，使吴、楚关系进入了一个紧张而激烈的争夺时期。

伍子胥是一个非常善于发现人才的人，前面我们讲的勇士专诸，对吴国政局的重大转变起了直接的推动作用。后他发现的一代军事家孙武，更是对吴国的争霸起了至关重要的作用。孙武的祖先居住在陈国，因避祸而到了齐国。他的祖父陈书为齐国大将，因征战有功，而被赐姓孙。孙武从小就喜欢武术，具有军事天赋，后因齐国内乱，被迫来到吴国。伍子胥在浪迹吴国时，有幸结识了这位伟大的军事家。

在吴王阖闾当政后，伍子胥把孙武推荐给吴王。经过一席交谈，吴王觉得英雄相见恨晚，立马任命孙武为将军。此外，伍子胥还推荐伯州犁的孙子伯嚭，伯嚭也得到吴王的重用。

吴王阖闾是一个雄心勃勃、有勇有谋的君王，他决心打败楚国，争夺霸主地位。伍子胥、孙武等一批谋士对其的辅佐，可谓如虎添翼。再加上他体恤民情，爱护部下，节俭清贫，励精图治，从此，楚、吴争衡中楚对吴的进攻阶段转变为吴对楚的反攻阶段。

在吴国发生政变不久，楚国也发生了近乎动乱的危机。惯于造谣和进谗的费无极，为了打击一些忠臣、贵族，铲除他升官发财的绊脚石，开始设计陷害他人。左尹郤宛为人正直，深受国人爱戴，费无极和鄢将师却对他恨之入骨。有一天，他见到郤宛说："令尹囊瓦想到贵府拜访，不知是否方便？"郤宛也没多想，说道："令尹前来，我怎敢不接待？"费无极接着说："据我了解，令尹囊瓦喜欢兵器，假如你在门外放一些精美的兵器，那么令尹看到一定格外高兴。"郤宛说这好办，于是设宴请令尹囊瓦前来。而费无极又来到令尹囊瓦家中，对他说："我听说您要到郤宛家中作客，我劝您还是别去了。"令尹纳闷地问道："为什么？"费无极说道："郤宛请您前去，是要谋害您。您要不信，看看他家门口是不是放着兵器。”令尹派人前往察看，果然在门口发现兵器。囊瓦大怒，鄢将师趁机表示自己愿意替他惩罚这个不识抬举的郤宛。于是，鄢将师率兵杀死了郤宛及其家人，还连带杀了其族人。被杀的族人后代，在国都大声喊冤。这时，令尹囊瓦部下也进言说：“您怎么能相信费无极这样的小人，您现在杀了那么多冤枉之人，国人会嫉恨您的。”令尹囊瓦为了平息国人的怒气，派人处死了费无极和鄢将师，尽灭其族。这个卑劣、无耻的小人，终于得到了应有的下场。正是他，把楚国一次次推向险境，使像伍子胥那样难得的贤才被迫跑到他国，为他国服务，而报复自己的祖国，留给后世楚人难以解开的一个心结。

公元前 512 年（楚昭王四年），吴王阖闾要求徐国和钟吾两国引渡他的两个弟弟回到吴国，但这两个小国并没有听从，而是把他们送给了楚国，楚国还盛情款待他们，并安排一定的职务，赐予部分领地，为二公子筑城。这是故意气吴王，与吴国过不去。吴王对此很是气愤，下令攻灭徐国和钟吾。

同时，吴国开始策划攻打楚国。吴王阖闾向伍子胥请教如何伐楚。伍子胥建议三分吴师，轮流侵扰楚国。不久，吴王把朝政大权交给了伍子胥。在伍子胥的精心治理下，吴国的国力得到了飞速提升。这时的吴国，人才荟萃，盛极一时，令各诸侯国为之刮目。阖闾为明主，伍子胥为贤臣，孙武为良将，三美兼得，世难其遇。

吴军发动了对楚国的讨伐，一举拔舒，攻杀了吴王阖闾的两个弟弟。此时，吴王阖闾想直捣楚国国都郢，但孙武认为，民众疲惫，不宜远征，以后再等待时机。吴王从其议，班师回朝。

第二年，即公元前 511 年，吴师两度袭击楚国，都是打完就撤退。

公元前 508 年（楚昭王八年），楚国的一个附庸小国桐（在今安徽桐城西北）叛楚。但让楚人没有想到的是，吴国出兵攻打桐。其实，这是吴国放的一个烟幕弹，故意让楚以为吴人无意伐楚，反而帮助楚国惩罚附庸国的叛变。同时，吴王暗派人放风让楚袭击吴国。令尹囊瓦不知是计，率兵伐吴。

吴师由伍子胥亲自指挥作战，他们采取诱敌深入、灵活作战的战术，击溃楚师，俘获了楚公子繁，取胜而归。吴王下令国人抓紧备战，铸造兵器，操练人马。

公元前 506 年（楚昭王十年），一场几乎使楚人亡国的危机发生了。惯于外线作战的楚人，惯于灭人之国、夺人之地的楚人，是不会想到会有敌国直插楚国的心脏——郢都的那一天的。待到吴师果真冲入他们的国都时，所有楚人都不知所以然，像是在做梦，但梦醒时分，差一点做了亡国奴。

对吴国来讲，直捣楚国国都也不是一件容易的事。路途遥远，需要坚实的后方补给。同时，虽然吴国在兵器和士兵的作战能力方面相对于楚国要占上风，但人数却远远不如楚国。要想取胜，必须出其不意，打其不备。这样，仅靠吴国自己的后方补养，是不可能的。因此，吴国现在需要在吴、楚的中间地带寻找几个盟国，如果得到它们的支持和援助，那么吴国就有了取胜的重要保障。

而吴王苦苦寻找的盟友竟是楚人拱手相送的。蔡国和唐国是楚国的两个附庸国。有一次，蔡侯前往觐见楚昭王，在其行囊中，有两件华贵的裘袍和两副精美的玉佩。他来到楚国国都时，楚国令尹囊瓦先接待了他，待第二天上朝时，带着他觐见楚昭王。蔡侯准备把其中一件裘袍和一副玉佩送给楚昭王，剩下的自己穿戴。囊瓦一看到这么精美的东西，心里直痒痒，不断夸赞这些东西如何好，示意蔡侯把他准备自己留下的那一套送给他。蔡侯并没答应他，不料囊瓦派人挟持他，没有让他回国。

大致与蔡侯朝见楚昭王同时，唐国国君唐成公也来觐见。这位国君乘坐的两匹马可谓宝马，囊瓦同样示意唐国国君送给他。唐成公也没有答应他，也被迫待在楚国。

这一待，就是三年。公元前 507 年（楚昭王九年），唐成公觉得不能继续滞留在楚国，不然自己的王位也保不住了，于是就把心爱的两匹骏马送给了囊瓦，这才得以回国。蔡侯见此，也只能忍痛割爱了，把自己穿戴的裘袍和玉佩送给了囊瓦，这才得以回去。过汉水时，蔡侯终于憋不住心中的怒火，大声吼道："天下诸侯，无论是谁，只要伐楚，寡人甘冲前列。"说完就把一块随身带的玉璧狠狠地投入汉水中，暗暗发誓，再也不南渡汉水，意思是不再进入楚国朝见楚王。

离开楚国后，蔡侯并没有直接回蔡国，而是直奔晋国，请求晋人讨伐楚国。为了表示诚意，蔡侯留一个儿子在晋国做人质。

公元前506年春，晋、齐、鲁、宋、陈、郑、卫等18个诸侯国在召陵会盟，商讨伐楚大计。但晋大夫荀寅也像囊瓦一样贪婪，他向蔡侯索要珍贵的礼物，蔡侯不给，他就建议主盟的晋上卿范献子不要轻易攻打楚国。范献子听信了这个小人的话，结果这次会盟并没有实质性成果。这让蔡侯等人对晋国很失望，他们不得不寻求新的盟主来为他们主持公道，洗刷耻辱。

是年冬，蔡侯派一位公子到吴国做人质，请求吴王伐楚。经蔡侯积极努力，吴、蔡、唐三国组成一个小的联盟集团，开始策划伐楚。其实，在这之前，吴王曾派伍子胥北上，试图组织一个反楚的大联盟，但无功而返。

这样，吴国的后方补给就有了保障。十一月，在没有任何征兆的前提下，吴国来了个不宣而战，直捣楚国的国都。这次讨伐，吴国动用了所有能动用的力量，可谓下了血本。

仅用了不到十天的时间，吴师便一举进逼到楚国国都，楚师溃不成军。楚昭王慌乱之中带着随从和妹妹弃都而逃，南渡淮水时，遇到吴师。楚昭王命人上岸，用象群阻击敌军。部下们遂在象尾上一一系上火把，并点燃，驱赶它们向吴师攻击。

慌乱中，他们不敢继续停留，便逃亡到了郧地。这时郧公为斗辛，其弟为斗怀和斗巢。斗怀要加害楚昭王，因为他要替父亲蔓成然报仇。郧公斗辛则认为，君主在落难时，臣子是不能落井下石的，而是应该保护他，再者说天不灭楚，他们也不能做对不起国人的事。于是，他亲自与弟弟斗巢护送楚昭王进入随国。

就在楚昭王逃离国都一天后，吴师攻下楚国国都郢。当时的楚都，一片火海，只听到人的惨叫声、马的嘶叫声。大地在颤抖，天神在徘徊，左右为难，是否要下去解救这个狂妄多年的楚国。伍子胥作为吴师主帅，为了报仇雪恨，又杀回来了，起初他很得意，觉得终于实现了自己忍辱负重多年所要得到的，甚至对楚平王鞭尸三百，但作为楚人，当他看到自己的祖国一片凄惨时，他落泪了，毕竟他也是人。

吴师以征服者的高傲姿态，按照功劳大小、尊卑等级，纷纷住进了昔日楚王所享受的豪华宫殿和大臣、贵族们的官邸、府邸。

虽然楚昭王一行人跑到了随国，但吴师紧追不放，令他久久不能安定。吴王威逼随国交出楚昭王，说天命所归，吴人是奉天命来灭楚国的，也是来拯救随国那些常年被楚国欺压的小国的。

楚昭王有一个庶兄叫子期，长得有点像楚昭王。在吴人紧逼随侯要人时，他先让楚昭王逃出随都躲避，自己则假扮成楚昭王，让随侯带他前往见吴人。随侯听后非常感动，觉得还是不忍心这样做，无奈之下，进行占卜，让神来决定吧。结果，神警示：如果交出楚昭王，对随国大大不利。在随国的坚持和努力下，楚昭王终于得到了一个避风港湾，暂时可以存活下来。吴人也只好撤离，楚昭王再次进入随都，歃血与随侯盟誓。

楚昭王在逃离过程中的种种表现，让跟随的人很感动，也对这位君王有了信心，他们觉得一定要保护好君王，这是他们复国的希望。如在逃跑时，楚昭王的一只鞋掉了，后有追兵，他却不顾危险把它捡了回来。当他们到达随国时，随从问他说：“君王，您为何冒着生命危险去捡一只普通的鞋呢？”楚昭王说：“它是随我出来的，也应该随我回去。”意思是说，你们这些人是跟着我跑出来的，我要不顾自己的生命安危，把你们安安全全地带回国都。大家一听，都激动而高兴地掉下了眼泪。

吴人虽然占据了楚国国都，但时时刻刻遭到抵抗。楚人历史血统中的怀旧、爱国、尊君，特别是尚武好斗、不服输的那股精神，使得吴人就像陷入一片泥潭之中，越陷越深。他们把事情想得简单了，觉得武力可以征服一切，事实上，灭国必须灭其史，意思是要想灭亡一个国家，必须彻底消灭国人的意志力，而不是战斗力。那些曾受楚昭王恩惠的百姓，拼命抵抗吴师，吴王阖闾甚至有一夜五次变换住处。楚人在没有将帅的统领下，自发组成小队，誓死抗争。

没过多久，吴人撑不下去了，他们只好匆匆撤出楚国国都。得知吴师退却，随国派人护送楚昭王回国。楚昭王回到国都一看，满目疮痍，觉得对不起全城的臣民。他一边封赏护驾和誓死抵抗的将士和臣民，一边慰问救济受难的百姓。为了尽快从这场噩梦中走出去，他决定迁都，重振国业。新的都城仍名为郢，以示不忘国耻，只不过称为“栽郢”，旧都则被称为“鄢郢”。

公元前 505 年（楚昭王十一年）秋天，吴国国内发生内乱，吴王阖闾的弟弟夫概为了夺取权力，率兵先回吴国，自立为王，但很快就被吴王打败，逃到了楚国。随后，秦、楚联军多次击溃吴师，吴王不得已率大军回国。

正当吴、楚争夺霸主之时，会稽山下的越国兴起。公元前 510 年（楚昭王六年），越受到吴国进攻，这样吴、越矛盾加深。所以，在吴师大举进攻楚军时，越人趁机袭击吴军的大后方。这也是吴师不得不撤退的原因之一。

历时 10 个月的大战就这样落下了帷幕，可以说吴国大获全胜。他们以精湛的战略和战术袭击了楚国，以寡敌众，以少胜多，他们的胜利来之不易。但他们从最初的有道伐无道，变成了后来的无道伐有道。若从长远来看，似乎楚人胜利了，起码在道义上战胜了吴国。东汉史学家班固曾言：“楚昭王，善败而不亡者也。”这场大战让郢都的臣民及其后世，永远牢记这个难以忘怀的岁月和历史片段，也让他们感恩于那个时代的明主楚昭王。唐代大诗人韩愈来到此地时，曾题曰：“丘坟满目衣冠尽，城阙连云草树荒。犹有国人怀旧德，一间茅屋祭昭王。”

申包胥是楚昭王特别嘉奖的一位将军。他最初和伍子胥关系很好，当时伍子胥逃离楚国时遇到了他，他并没有为难伍子胥。伍子胥也向他说出了心里话：“我一定要覆灭楚国。”申包胥答道：“如果你灭了楚国，那我一定恢复楚国。”楚昭王逃到随国后，申包胥连夜奔赴秦国，请求秦国出面解救楚国。秦哀公说：“你先休息，我们得开会研究研究。”申包胥说道：“我们的君王现在过着以泪洗面、颠沛流离的生活，我怎么能安享生活呢？”于是他靠着秦宫外的一棵大树坐着，一连哭了七天七夜，嗓子哑了，眼泪流干了，已经奄奄一息了。秦国君臣一看，也有些感动，觉得楚国能有这样的忠诚将士，复兴是迟早的事，当然也想借机发点小财，于是秦国答应出兵救楚。

申包胥谢绝了赏赐，他说：“我所做的一切，是我的本职所要求的，并不是为了我自己。”

起初楚昭王要把自己的妹妹许配给申包胥，可他的妹妹不愿意。因为在她逃跑途中，一个随从时刻保护她，甚至在危难关头还背着她，她觉得他们的心早已在一起了。患难之中见的是真情，是毫无等级、尊卑的纯真感情。楚昭王也没再勉强，不仅答应了她，还封赏给她的这位患难之夫以乐尹这样的官职。

还有一位也谢绝了赏赐，那就是蒙谷。他在听说楚昭王离开国都后，自己冒着生命危险潜入王宫，带走了《鸡次之典》，使楚国以后有章可循。但他辞赏不受，也不愿意为官，隐居山林之中。

令尹子西、司马子期，护王有功，受赏。斗辛、斗巢等人，均得到了奖赏。对于斗怀，子西认为不应该奖赏他，因为当初他是打算处死大王的。楚昭王摆摆手说：“不要这样说嘛，他要害死寡人，那是小怨，而他和他的哥哥们还保护我们，这是大德，应该得到奖赏。”

子高因功受命为叶公，叶县邻近中原，具有重要的战略意义，非重臣是不能担任此职的。

公元前504年（楚昭王十二年），郑国趁楚国内伤未愈，率兵攻打许国。楚人此时只能置若罔闻，无暇也无力顾及。吴师又继续伐楚，楚军一度失利。吴师不敢太冒进，害怕遭受上次的教训，适可而止，退兵回国。

公元前496年(楚昭王二十年),吴、越进行决战,吴王阖闾受伤而死,他的儿子夫差继位。从此,吴、越争夺代替了吴、楚争霸。时近百年的吴、楚争衡，到此就基本结束了。

楚人休养生息了两年，基本恢复了元气，又想在“国际”舞台上崭露头角。顿是一个小国，因叛楚向晋，楚便发兵伐顿。

第二年，楚国又灭了胡国。因为胡国在吴、楚大战时，趁机掠夺楚国边境县邑。

蔡国在吴、楚大战中充当了重要角色，是吴胜楚败的重要因素。对这个昔日的盟友在关键时刻的背叛，楚国无论如何都是无法忍受的。公元前494年（楚昭王二十二年），楚与随、陈、许合兵围蔡国国都。子西命人筑城准备攻打蔡国国都。蔡侯害怕，忙命男女列队出城投降。楚昭王宽容了他们一次，同意蔡人迁移到吴国的附近。

吴败楚，楚人一直忧心忡忡。可子西却认为，吴王夫差正在走自取灭亡之路，不值得害怕。

公元前489年（楚昭王二十七年），吴国伐陈国。楚昭王率兵前往救陈国，驻兵于城父。自春至秋，双方相持不下。此时，楚昭王突然病重。恰巧他看见太阳边上接连有三片红云，觉得奇怪，派使者前往咨询周太史。周太史告诉使者，这将是楚昭王受祸之兆，如果举行禳灾祭典，就可使这一不祥之兆移到令尹、司马身上。楚昭王听后，说道：“令尹、司马全都是寡人的心腹大臣、得力助手，功勋卓著，寡人哪能为了自己把灾祸转给他们呢？”楚昭王没有这样做。有人占卜，说是惹怒了河神，必须祭奠才能消除灾祸。楚昭王又反对。当时的孔子听说此事后，对楚昭王大加称道："楚昭王知大道矣。"

楚昭王久闻孔子大名，想请他前来指教。孔子也想一睹这位明主的风采，结果受困于陈、蔡之间。门生子贡忙向楚昭王告急，楚昭王派人前去解围。可惜的是，由于种种原因，孔子并没有留在楚国。

楚昭王这时觉得自己快不行了，于是他命令子西继承王位，子西不同意；又命子期继承王位，子期也不愿意；最后命令子闾（公子启）继位，子闾推辞了多次，没办法才勉强答应下来。

没过几日，楚昭王驾崩了。子闾与子期等人商议，秘不发丧，他们都没有争夺王位，而是秘密派人迎接楚昭王与越女所生的一个儿子熊章继承王位，即楚惠王。楚惠王立，楚师才回国。

这时的楚国已从困境中走了出来，国力渐盛，民众安宁。社稷转危为安的教训、公族融合和谐的气氛、臣僚志同道合的协作，造就了楚惠王温和、谦恭的性格。

楚惠王在位的最初十年，楚国是一个民众安居乐业的诸侯国。而此时在"国际"舞台上异常活跃的则是吴王夫差，他并不满足于父王对楚的胜利和自己打败越国这些功业，傲慢自大，以霸主自居，肆意践踏他国国土，成了当时"国际"冲突的元凶。

公元前479年（楚惠王十年），楚国打破了往日的沉寂和安宁，国都发生了一场内乱，史称"白公之乱"。

白公，即太子建的儿子胜。胜原逃到吴国。三十多年过去了，胜从一个嗷嗷待哺的襁褓幼儿，长成强壮的中年人。楚惠王二年（公元前487年），此时担任令尹的子西，是楚平王的儿子，即胜的叔父。子西觉得，胜是楚王室的嫡系血统，应该把他接回来。但叶公子高并不同意，理由是他听说胜奸诈阴险，弄不好会给楚国带来祸患。子西反驳道："我怎么听说他诚实勇敢、敢作敢为呢？让他回来到边疆做一个管理者，保卫边境安全吧。"叶公子高坚持自己的意见，并说道："如果召他回来，你会后悔的。"子西还是派人把胜接回楚国，命其管理一个叫白的县邑（在今河南息县东)，所以称为白公。这个地方与吴国接壤。

为了实现母亲的遗言，报杀父之仇，白公胜几次请求攻打郑国。令尹子西虽同意，但迟迟没有行动。公元前480年(楚惠王九年)，晋国出兵伐郑，楚国竟派人前去救郑。这样，白公胜非常不满，就把仇恨转移到两个叔叔身上。同时他还认为，他有楚王室的嫡系血统，是楚平王的嫡长孙，有资格继承王位。所以他想杀死子西和子期，然后从楚惠王那里争夺王位。

有一天，子期的儿子前往白县拜访白公胜，一进院子，看见白公胜在磨剑，就好奇地问道："大哥，你怎么自己磨剑？"白公胜答道："大家都说我率直，那我就不瞒你了，告诉你，我要杀你的父亲。"子期的儿子一听，先是一惊，然后定了定神笑着说："你是在开玩笑吧。"白公胜严肃地答道："你看我像是在开玩笑吗？"子期的儿子赶紧回来告诉了伯父子西。子西听后，觉得根本不可能，说："胜就像一个蛋，是在我的翅膀下成长的，以后我死了，令尹、司马还不是他的？他根本没必要这么干。"白公胜听到此话后，暗暗高兴："你这个骄傲的家伙，要是不杀你，我就不是白公胜。"

白公胜开始罗织党羽，积蓄力量。他对谋士石乞说："我们只要有五百甲兵，就可以对付君王和两位大夫(子期与子西)了。"石乞说道："现在很难招收五百甲兵，在街市南边倒有一个勇士，听说他一个人可以抵得上五百人，我们不妨找他帮忙。"于是二人立马起身探访这位神奇的大力士。起初他们谈得很好，但当白公胜提出想请他前往刺杀君王和两位大夫时，这位勇士严词拒绝。白公胜再三劝说，并以重金支付报酬，甚至把刀架在他的脖子上，这位勇士也不答应。他们很无奈地离开了，石乞悄悄对白公胜说："我们不能放他走，这样他会告密的。"白公胜说："不用了，他既然这么不为利诱，不怕危险，那么他是一个正直之人，不会走漏风声的，放心吧。"

他们回到府上后，继续商议对策，等待时机。公元前479年，复仇的机会来了，吴师对楚国边境进行了侵扰，白公胜率兵打败了吴师，俘获了不少武器和财物。他派人向楚惠王请示，想把这批战利品上交给国都。楚惠王很高兴，答应了他的这一请求。白公胜秘密率领化了装的亲兵押着物品前往王宫，这时子期和子西都在朝中。他一看时机成熟，号令亲兵造反，杀死了子西和子期，劫持了楚惠王。石乞要杀死楚惠王，白公胜觉得弑君是不可以的。一是他并不想篡权夺位，一直以来的目的就是复仇，所以他并非执意要杀死君王，二是他想借挟持楚惠王，暂时控制局势。

白公胜心里也明白，国人对子期、子西执政以来所取得的安宁很满意，而他杀了他们，国人当然对他愤恨和仇视，况且他挟持君主、杀死大臣的兴兵作乱行为也是国人所不能容忍的，同时他长期生活在吴国，在楚国内并没有培养自己的亲信与实力。鉴于这些考虑，他想出了一个办法，即借助扶持子闾来稳住局势，稳定人心。子闾是楚平王的儿子，楚昭王的哥哥，也是白公胜的另一个叔父。当年楚昭王死去时，子闾多次辞让王位，在国人心目中留下了非常好的印象，在朝中有着很高的政治威信。但让白公胜未料到的是，子闾坚决不从，最后死于白公胜的屠刀下。

他们把楚惠王关在一个仓库中，由石乞看守。结果，夜里楚惠王被人挖墙救走，并送到其母昭夫人宫中，白公胜对昭夫人还不敢冒犯，这样，楚惠王暂时是安全的。最后，白公胜自立为王。

驻守在蔡地的叶公子高，在国人的请求下，率兵来到国都。都城的百姓听说叶公子高前来救驾，纷纷表示愿意誓死效力。于是，叶公子高从府库里拿出财物分给大家，从武库里拿出兵器武装百姓，就这样开始了与白公胜的决战。很快，白公胜就被打败了。白公胜见大势已去，就上吊自尽了。石乞被俘获，后被施以烹刑。

叛乱平定之后，楚惠王对叶公等人表示嘉奖。叶公受命身兼令尹和司马二职，这在楚国是空前绝后的。叶公镇守北疆，功绩卓著。白公之乱后，他更是威名远扬。没过多久，叶公见局势已稳定，向楚惠王请求辞去令尹与司马。楚惠王开始并不答应他，经再三请求，楚惠王才允许他这样做，但离开前，得定好令尹与司马的人选。于是叶公与楚惠王商议、占卜，最终以子期的儿子公孙宽为司马，以子西的儿子公孙宁（子国）为令尹。安排妥当后，叶公辞别楚惠王，回到叶县，准备退休养老了。

危难可以兴国，白公之乱后的楚国就是这样。这时，楚人周边的中原诸侯比较安宁，它所关注的是东边的吴和越。楚国正在观望吴、越两只老虎相互争斗，但这种坐山观虎斗的局面，很快就被打破了。

公元前 476 年（楚惠王十三年），越师侵扰楚国东境。其实，这是一次佯攻，越师的目的是引导吴国产生越国已把楚国当作竞争对手的错觉。但楚人并不知情，也没多想，对此侵扰进行了严厉的回击。公孙宽和公子庆奉命追击越师，接着叶公也率兵再次攻打越师。

公元前 475 年（楚惠王十四年），越师突然袭击吴师，并迅速包围了吴国国都。经过两年多的激战，吴国灭亡，夫差自缢。

早在吴国灭亡前，吴王夫差听信谗言，处死了伍子胥。或许吴国的灭亡，与失去这样一位谋士有很大关联。伍子胥这位人物，是难以评判的。就爱国来讲，伍子胥这个楚人比吴人更像吴人，因此吴国的百姓怀念他，在伍子胥死后两千年，当地百姓仍把他奉为神灵进行祭奠。

对于吴国灭亡的原因，有多种说法，如战国魏人李克提出："骤战则民罢，骤胜则主骄。以骄主使罢民，而国不亡者，天下少矣。"《淮南子》则认为，夫差的纵欲、拒谏等弱点导致的民气虚，是吴国灭亡的主要原因。还有人认为，吴国灭亡是因为夫差亲近了楚人伯嚭，而疏远并处死了伍子胥，即楚人使之兴，楚人亦使之亡。甚至有人提出，吴国灭亡是夫差为西施蛊惑所致。还有人提出，若从深层次原因来看，吴国速兴速亡，与其文化的不发达息息相关。越国之所以很快被楚国所灭，也与越国不重视文化积累有关。

在楚惠王后期，随着越王勾践的去世，越国的形势也出现了衰落的迹象。北边的晋国发生了韩、赵、魏三家分晋的动乱，楚国竭力巩固自己在淮水中游的统治，公元前 447 年（楚惠王四十二年），楚国灭了反复无常的蔡国。接着，楚国往东北方向发展。公元前 445 年（楚惠王四十四年），楚国灭杞国。然后，楚师继续东进，进逼鲁国。为了解除后顾之忧，楚国与秦国建立友好关系。同时，楚国始终没有放松对越人的警惕。楚、越两国舟师多次在长江交战，结果楚军屡屡失利。后鲁班来到楚国，帮助楚国改进了作战工具，如“钩强之备”、“云梯”等，使得楚师连连反击，节节取胜。

公元前 432 年（楚惠王五十七年），楚惠王去世。他在位长达 57 年。在所有楚王中，在位超过 50 年的仅有楚惠王一人。太子熊中继位，即楚简王。

昭、惠时代长达 84 年，其间楚国遭遇两次惊涛骇浪，几乎灭亡，但楚人再接再厉，奋力抗争，拨乱反正，均成功化解了这两次危机。经历了严酷考验的楚国，以稳健的步伐迈向发展的道路，其文化成就超过以往任何时代，与共存的其他诸侯相比，真有一览众山小的感觉。

重大考古成果湖北随州曾侯乙墓发掘出土的精美编钟，就是楚文化发达的重要表现。在楚惠王去世前一年，楚惠王赠送了刚去世的曾侯一枚镈钟。这位曾侯名乙，酷爱音乐，精通声律，出土的那套编钟就是他生前制造、收藏的。

这套编钟制作精美、宏大，性能卓绝，音色浑厚丰满，是世界上已知最早的具有十二个半音音阶关系的定调器。器物上还有铭文，其内容是乐理，反映出当时楚国和曾国乐学的发展水平。曾是楚的附庸国，位于楚的腹地，附庸国的水平尚且如此，更何况宗主国了。

根据考古出土的青铜器，春秋战国之际，楚国已经创造了冶炼可锻铸铁的技术，这是一项重大发明，不仅使楚国在东亚领先打开了铁器时代的大门，而且使中国冶炼可锻铸铁的技术领先于西方约 1700 年。迄今已有的铜镜，绝大多数是楚国的铜镜。铜镜的普及和使用，反映了楚人生活状况的改善和审美意识的进一步觉醒。

楚国在文字方面，也有自己的特色。据说，从考古发现来看，毛笔就是楚人发明的。

昭、惠时代，是楚国学术文化发展的重要阶段，被誉为楚国思想界的早春二月。齐鲁大地产生了以孔子为代表的儒家学派，而在以楚国为核心的江淮大地上，则产生了以老子为代表的道家学派。

楚国最早的学术形态是巫学，巫学并非我们今天所讲的迷信学说，而是一种原生态的学说，它包含原始的科学，如天文、自然地理、医药等；有原始的哲学，即道学的萌芽；有原始的艺术，如诗歌、乐舞和美术等；有神话与传说；当然也有巫术、巫师等。楚国之所以能成为道学的发源地和兴盛地，与巫学的发达有着直接关系。

四、变法图强，重振雄风

楚简王在位 24 年，楚国基本处于安宁、平稳、继续发展的社会状态。即位初北伐灭莒（今山东莒县），以莒为邑。楚人灭莒后，发现魏国行将成为自己的劲敌，于是把战略防御的重心转移到正北面。公元前 419 年（楚简王十三年），魏与秦争河西。公元前 417 年（楚简王十五年），楚伐周而援秦，后因秦、魏罢兵而撤退回国。公元前 413 年（楚简王十九年），楚、齐、秦联合伐魏，但无功而返。

公元前 407 年（楚声王元年），楚简王去世，其子熊当继位，即楚声王，在位仅 6 年。楚声王在位时期，楚国社会动荡不安，国事积弊日深。公元前 402 年，楚声王被“盗”所杀，其子熊疑继位，是为楚悼王。楚声王被“盗”而杀，不仅反映了当时的楚国已经出现了较为严重的社会问题，而且从侧面反映了楚声王的无能错乱和穷兵黩武。所以，他死后，楚国为其上谥号“声”。《史记·谥法解》云：“不生其国曰声。”

战国早期“国际”格局的重大变化，不是中小诸侯国的兴亡，而是晋国一分为三，形成赵、魏、韩三足鼎立的局势。三家时而联合，时而对抗，但他们在“国际”战略中的地位越来越突出，分量也越来越重。

楚悼王前期，楚被三晋所困，国力衰减，国内争权夺利，矛盾重重。公元前400年（楚悼王二年），三晋联军伐楚，楚军失利。公元前393年（楚悼王九年），楚伐韩，虽取得小胜，但引来一场大败。公元前391年（楚悼王十一年），三晋联军伐楚，攻克大梁（今河南开封市西北）和榆关（今河南中牟县一带）两处要地，后因秦国的援助，三晋联军才停止进攻。

面对内外交困的政治局面，楚悼王不甘心就这样下去，他也是一位有雄心壮志的君王，他要为楚国寻找出路，使楚国走上富国强兵的发展之道，继续霸主地位的争夺。早年北方的魏国重用法家李克进行变法，使得魏国国势大振，迅速进入“国际”争夺的行列。这引起了楚悼王的深思，也给他带来很大的启发。于是，他也要尝试对楚国进行改革，期望通过这样的途径来实现自己的霸业梦想。

历史带给这位楚王的是幸运，恰巧这时魏文侯去世，太子击继位，是为魏武侯，因佞臣进谗，魏武侯开始对一位贤臣吴起不信任，有意疏远，甚至想铲除他。吴起愤而去魏奔楚。这就为楚国变革复兴提供了人才基础。

吴起原为卫国人，家里很富裕。但他并不贪图享乐，而是想成就一番事业，实现自己的人生理想。于是，他开始到处进行游说，希望能得到诸侯的任用。几年下来，家业消耗殆尽，邻里乡亲也对他说三道四，甚至耻笑他、侮辱他。一怒之下，他杀了三十多个污蔑他的人，逃出了卫国。在和母亲辞别时，他咬破自己的手指，发誓说：“如果我当不上卿相，那我永远都不会回来。”

吴起先是来到了鲁国，拜孔门弟子曾参的儿子曾申为师，学习儒家学术。他读书认真、勤奋，在师生间也是小有名气。齐国的大夫田居因出差办事来到鲁国，有机会见到了吴起，一席谈论后，对吴起非常赏识，一高兴就把自己的女儿许配给了吴起。

几年后，吴起听说自己的母亲去世了，他没有回家奔丧守孝，只能默默落泪，悄悄地在野外给母亲烧点纸钱，因为他还没有实现当初的誓言，觉得无脸面对逝去的母亲，同时也害怕被人告发而被捕。但他的老师曾申却认为，儒家是讲究孝的，可以说忠孝是儒家的核心思想，所以曾申对他的不孝行为很生气，一怒之下，与他断绝了师生关系。吴起没办法，又学起了兵法，且在鲁国当上了大夫。

这时鲁国遭到齐国的威逼和讨伐，鲁穆公听说大夫吴起很有才干，于是想重用他来对付齐国。但鲁穆公转念一想，吴起的妻子是齐国人，重用他确实让人有些不放心。吴起得到这一消息后，果断地杀死了自己的妻子，向鲁穆公自荐。鲁穆公这才放心，任命吴起为将军，率兵攻打齐国，结果大获全胜，由此吴起名声大振。

不知怎么，鲁穆公听说了吴起的身世，得知他在卫国曾杀人犯罪。鉴于鲁国与卫国的睦邻友好关系，鲁穆公只能忍痛割爱，辞谢了吴起，让其另谋他国。

吴起只得继续寻求诸侯的理解和支持，他听说魏国重用李克实施变法，国家富强，社会安宁，于是他又来到魏国，通过他人引荐，得到魏文侯的赏识,亦被任命为将军。公元前 409 年至公元前 408 年,两年之内，他率兵进攻秦国，一举夺得五城，攻占了秦国的河西地区，又和大将西门豹等攻灭了中山国。由于战功卓著，他被任命为西河守，负责魏国对抗秦国的重任。

吴起在担任西河守期间，认真研读各国兵法，总结以往战争的经验和教训，写成了《吴起兵法》一书。这部兵书可与《孙子兵法》、《孙膑兵法》相媲美，蕴含着他丰富而宝贵的军事思想和军事战略、战术。如他提出，军事斗争并非就军事而军事，军事与政治是分不开的。武备的基础是文德，他非常重视军政之间、军民之间、军队内部之间的和谐关系，主张将帅要爱护自己的士兵，军令要严明，只有这样才能战无不胜、攻无不克。遗憾的是，这样精辟的军事思想和理论，魏国并没有好好吸收，反而拱手让给了自己的对手楚国。

魏文侯去世后，魏武侯继位。公元前 390 年（楚悼王十二年），吴起受到魏相公叔与贵族王错等人的嫉恨与陷害，被免去了西河守一职。他一气之下，离开魏国，来到了楚国。

楚悼王对吴起的贤能早有耳闻，但并没有敢奢望他来楚国为自己出谋划策。可命运往往就是出乎你的意料。当然，这与楚国不拘一格重人才的文化传统息息相关。吴起也正是因为感受到这种文化气息而来的。楚悼王非常热情地接待了吴起，并马上任命他为宛守。宛是郡名，大致是申县故地。先前是县大郡小，这时则是县小郡大了。该地区是防御魏、韩两国的军事重镇。

吴起任职后，认真操练人马，向楚国将士讲解他的军事思想和战略战术，加强防御力量，改进吏治，体恤民情，爱民如子，当地进入了一个稳定而繁荣的时期。特别是吴起进行实地考察，对楚国的民情、社情、国情有了很深的了解，这为他之后的改革奠定了坚实的基础。

一年后，因吴起治军、治民功勋显著，楚悼王任命他为令尹，辅助处理全国军政要务。这真正实现了他多年的梦想，也兑现了自己的诺言，此时，他真的感动得哭了，想起了自己的母亲，也算对黄泉之下的母亲有了交代。他决心充分施展自己的才华，报效楚悼王的知遇之恩。

当了令尹之后，吴起觉得已有条件对楚国现有状况进行改革，实施变法。于是他对楚悼王说："楚国目前是大臣权太重，封君太多、太频繁，如果这样的形势继续发展下去，将会出现上逼主而下欺民的现象，这乃贫国弱兵之道，不利于楚国的进一步发展和强大。"接着他又说道，"楚国不缺的是土地，缺少的是民众，现在君王把公室所缺少的民户赏赐给已有过多领地的贵族，长此下去，可能会形成因权势下移而国柄失衡的局面，到那时楚国可就危险了。"

从这些话里，可以看出，吴起的变法，首先打击的是旧贵族势力。他规定了今后世袭爵位的办法，即封君的子孙到了第三代以后就取消他们的爵位和俸禄。这样做，有利于加强中央集权下的国君的权力，也有利于精兵简政的实现，还有利于国家资源的合理调配。

被取消爵位和俸禄的旧贵族子孙如何安置？吴起让他们带着族人迁徙到地广人稀的地方，开荒种地，这样也可以促进全国农业生产的发展，一举两得。

吴起积极推行法制改革，整顿吏治，大量起用有才能的人。他还整顿军纪，提高楚人的作战能力，提倡爱国主义精神和为国尽忠的牺牲精神。

吴起的变法，在当时来讲，是符合楚国国情的，因为他是在充分调查楚国国情的基础上才进行变革的。在客观上，变法有利于新兴地主阶级势力的发展，沉重打击和削弱了旧贵族的势力，使得楚国出现富国强兵的盛世景象。

史书记载，吴起实施变法后，楚国“南平百越，北并陈、蔡，却三晋，西伐秦，诸侯患楚之强”。此处所言的“北并陈、蔡”，是说楚国收复了被汉魏夺取的陈、蔡两地的部分地区。

南平百越，一方面使楚国的疆域扩展到今江西南部和湖南、广西之间的苍梧一带，另一方面加强了楚、越文化交流。楚人开拓百越之地，虽有武力为后盾，但更多的是通过文化来相互影响。湖南地区发现了很多同期同地的楚墓和越墓，彼此邻近甚至相互错杂，说明楚、越文化交融的事实。年代愈晚，越墓中所含的楚文化越丰富，楚墓中所含的越文化也越丰富。

吴起终于等来了北伐的机会。公元前 383 年和公元前 382 年，即楚悼王十九年和楚悼王二十年，魏、赵两国因争夺卫国而交战。卫国亲附魏国，齐国协助魏国，魏、齐、卫三国联军对赵国发起攻击。公元前 381 年（楚悼王二十一年），吴起率兵伐魏救赵，大败魏师，横行中原，一直打到黄河两岸，收复了楚国的大片失地。吴起为后来齐国“围魏救赵”的著名战例提供了模板，为秦国远交近攻开创了先例。

这样，楚国兵振天下，威服诸侯。昔日的霸业，似乎又找回来了。

任何时期、任何国家、任何民族，进行变革，都是要付出代价的，甚至是血的代价。尤其是那种激进式的改革，更是如此。吴起变法，重要内容之一就是削弱旧贵族的势力，当然会遭到他们的极力反对。在战国时期，虽然还没有出现秦始皇中央集权专制制度的强权政治，但君主专制似乎已经在起着作用。因此，君王的支持是变法的重要条件和推动力，同样，君主的逝去或反对或退却，对变法将会是沉重的打击。

就在伐魏救赵的同年，楚悼王去世。吴起失去了这一最为安全的保障与靠山。权贵甚至都顾不上打理楚悼王的丧事，就群起而攻之，共同讨伐吴起的改革罪行。吴起正在王宫中，为这位给予他支持，让他完成自己多年梦想的君王哭泣、难过时，权贵们率领亲兵冲杀进来，王宫内的原君王的警卫似乎并不想为了这个外人（非楚人）而丢了自己的性命，未作激烈的抵抗，吴起被射了一箭，他硬撑着倒在了楚悼王的尸体上。按照楚国的法律，伤害了国君的尸体，要治以重罪，诛灭三族。可能吴起想借楚悼王的尸体来躲过这一劫，但这帮暴徒，根本顾不上什么国法家规，再次刺射吴起，当然也射中了楚悼王的尸体。贵族们还不解恨，残忍地肢解了吴起。

之后，楚悼王的儿子熊臧继位，是为楚肃王。作乱的权贵们正在庆贺他们的胜利，殊不知等待他们的却是国法对其的严惩。经楚肃王授意，新任令尹率领亲兵捕杀了所有攻杀吴起的权贵及其三族，共七十余家、几百口人，仅有极少数人逃到国外。

但可惜的是，楚肃王废除了吴起的新法，这场轰轰烈烈的变法运动就此宣告结束。从这以后，直到战国末期被秦灭亡，楚国始终是旧贵族把持政权，他们在经济上的势力仍很强大。

“楚不用吴起而削乱，秦行商君而富强”，这是后来者对战国时期两场变法运动的看法，即吴起变法失败了，商鞅变法成功了。变法是一个很复杂的政治实践活动，对于两个不同的国家，即在国情、民情、社情并不完全相同的情况下，我们似乎无法把它们进行对比，尤其是结果的对比。吴起在楚国实行变法，比商鞅在秦国进行变法，要早三十多年。吴起变法仅仅维持了 9 年，而商鞅变法却持续了 19 年。吴起被肢解，商鞅被车裂。楚肃王为吴起报了仇，同时也中止了他的变法活动。而秦惠文王则是怂恿宗室大臣杀死商鞅。显然，两国的这场变法存在诸多不同的形式、内容与结果。至于楚国所谓的“削乱”，那也是吴起死后约 70 年的丹阳之役为秦所败而引起的。秦国的富强，则是商鞅死后二十多年秦国灭蜀之后才开始出现的。时势不同，国情不同，很难说吴起变法失败了，而商鞅变法成功了。

楚肃王诛尽乱党后，楚国面临的一个严重问题是缺少久经沙场的将领和富有政治经验的贤相。整个楚肃王在位时期，虽在边境冲突中丧失了一些城邑，但楚国民众基本处于休养生息的状态，这为日后楚宣王时的国家复苏和楚威王时的再次北上中原争夺霸主奠定了基础。

公元前 377 年（楚肃王四年），蜀伐楚，夺取兹方。公元前 375 年（楚肃王六年），魏伐楚，夺取榆关。公元前 371 年（楚肃王十年），魏伐楚，夺取鲁阳。第二年，楚肃王去世，无子，其弟熊良夫继位，是为楚宣王。

楚宣王继承了哥哥楚肃王的稳健方针，国力在逐渐恢复之中。这期间，秦任用商鞅进行变法，齐任用邹忌进行改革，为它们国力强盛奠定了基础。另外，赵、韩、燕等国也都进行了一定程度的改革，均取得了成效，逐渐强大起来。这样，就形成了“战国七雄”并立的态势。七国之间相互争夺，战争不断。这些大国国君纷纷自称王，周天子更是不被放在眼里。各中小诸侯国基本被吞灭，所剩无几。

公元前 354 年（楚宣王十六年），魏伐赵，围邯郸。齐、楚重演了伐魏救赵的故事。齐国以军事家孙膑为师，田忌为元帅，率兵攻打魏国，直捣魏国国都大梁。而楚师则缓慢前进，想坐收渔翁之利。公元前 353 年（楚宣王十七年），魏师攻克邯郸，回救大梁。齐师转移到桂陵（今河南长垣县西北）设伏，一举击溃魏师。这就是著名的桂陵之战，或称围魏救赵之战，为后世兵家所赞誉。其后两年，魏国归还邯郸于赵国。

其实,从这场战役中得利的是楚国。这时,楚国令尹是有名的昭奚恤，司马是景舍，二人老谋深算。起兵时，令尹昭奚恤就建议待赵、魏两败俱伤时再坐收渔翁之利。司马景舍则提出先派少量士兵前往，让赵人知道楚师援助而坚守邯郸,这样赵、魏才能两败俱伤,加上齐、秦东西夹击，魏师肯定会败。这样，楚师没有经过激烈的战斗，就夺取了一些领地。

令尹昭奚恤是一个非常机敏干练之人。有一次，国都仓库着火，损失严重，屋顶的茅草也被烧得精光，把守者不知火如何而起，楚宣王让令尹昭奚恤调查此事，给一个圆满的答案。令尹昭奚恤让人把茅草贩子找来,经过审问,确实是这个贩子所为。因为,他想卖更多的茅草来赚钱。从此，大家觉得昭奚恤是一个神探，甚至连周边的诸侯都有点怕他。魏国派一位能说会道的江乙来到楚国，目的是想离间楚国君臣关系，逼走令尹昭奚恤。楚宣王问江乙说:“北方诸侯为何会怕昭奚恤？”江乙向楚宣王讲了一个“狐假虎威”的寓言故事，“狐”指的是昭奚恤，“虎”当然指的是楚宣王了，但楚宣王没有相信。

公元前 346 年（楚宣王二十四年），魏伐楚，夺取上蔡。公元前 341 年（楚宣王二十九年),楚宣王去世,在位达 30 年之久。子熊商继位，是为楚威王。楚威王在位时，楚国已经积蓄了足够称霸中原的力量，而其他大国则遇到了内外交困的不利局面。

五、王者归来，霸王之姿

公元前 338 年（楚威王二年），秦孝公去世，秦惠文王继位，商鞅被车裂。虽然秦国因变法而国力大增，但变法之后的动荡也使其大国锋芒有所削减。这时,楚、赵、韩都奉行联秦抗魏的方针。公元前 337 年(楚威王三年)，楚威王、韩昭侯、赵肃侯一起来到秦国，祝贺秦惠文王继位。

公元前 335 年（楚威王五年)，楚、越对齐国发动了攻击，越师北上，侵入齐国的东南部；楚师南下，威胁齐国的西南部。后经齐威王的诱骗和怂恿，越军又挥师西上，攻掠楚地。

公元前 334 年（楚威王六年），齐国在魏国的蛊惑下与魏联合攻击楚国。

这时，齐、魏、越的争夺点似乎都集中于楚国，楚国想清静也不可能了。于是，楚国决定主动出击。

公元前 333 年（楚威王七年），楚师以景翠为元帅，歼灭越师主力，杀死越王无疆，夺取越人所占吴地。越人从此离散，诸贵族、公子互相争夺，各霸一方，但都为楚国的附庸。同年，景翠挥师北上，在徐州与齐师展开决战，大败齐师。魏国坐视不管，当然他不敢也不愿意救齐。

这一年，让楚人为之振奋，为之自豪。多少年来，从未有过如此辉煌的胜利。当时最有才华的纵横家苏秦来到郢都，对楚威王说："楚，天下之强国也；王，天下之贤王也。……地方五千余里，带甲百万，车千乘，骑万匹，粟支十年。此霸王之资也。"

"战国七雄"并立的局面真正形成于楚国打败越国之后。在七雄并立的局面下，各国为了称霸称王，都在寻求自己的同盟，瓦解敌人阵营，一度出现了"合纵"与"连横"的外交战略战术。处在秦、齐两国对峙之间的韩、赵、魏三国联合，北约燕，南连楚，东抗齐或西抗秦，即为"合纵"。如果这些弱国被齐或秦拉拢联合抗击其他弱国，即为"连横"。于是，这时产生了一大批纵横家。各国由于相互间的矛盾与利益关系，时而合纵，时而连横，因而战国时期出现了"朝秦暮楚"的现象。

七雄之中，可与楚国相抗衡的只有秦国。纵横家苏秦对此看得很清楚，他又对楚威王说："楚强则秦弱，秦强则楚弱，其势不两立。……从纵则楚王，从横则秦帝。"合纵、连横之争，其实，就是楚、秦之争。

无论合纵还是连横，争取的对象都是三晋，即赵、魏、韩。三晋如能同心同德，紧密联合，它们的力量不可小视，甚至可以对抗秦、楚这样的强国。但历史不能假设，事实是，三晋各自为战，都在打着自己的小算盘，各怀鬼胎，离心离德，想与秦、楚抗衡，那是白日做梦。正所谓，“三晋合则秦弱，三晋离则秦强。”

公元前332年（楚威王八年），魏国献阴晋（今陕西华阴县东）于秦，开启了割地贿秦之门。没过两年，魏国的河西之地全部被秦占领，河东之地也处于秦的虎口边缘。

公元前329年（楚威王十一年），楚威王去世，其子熊槐继位，是为楚怀王。

经历了重重险境，跨越了道道障碍，楚国正在登上强大和繁荣的顶峰。到楚威王末年、楚怀王初年，楚国已是东方第一大国，世界第二大国。

但奢华与贫困，幸运与危机，往往是相伴而生，相伴而长。这样辉煌的成就，让楚威王心生忧虑。有一次，他对纵横家苏秦说道：“寡人之国西与秦接境，秦有举巴蜀、并汉中之心。秦，虎狼之国，不可亲也。而韩、魏迫于秦患，不可与深谋，与深谋恐反以入于秦，故谋未发而国已亡矣。寡人自料，以楚当秦，不见胜也；内与群臣谋，不足恃也。寡人卧不安席，食不甘味，心摇摇如悬旌而无所终薄。”可以说楚威王对国内外政治局势有着极高的洞察力，他似乎已看透了历史的未来走向和国家之命运。从外部环境来讲，他认为楚、秦争夺是发展大势所趋，是任何人无法阻挡的，但秦乃虎狼之国，是不好对付的，如果楚国一着不慎，就会满盘皆输。至于韩、魏等国，更是靠不住，故楚国千万不能实施所谓的合纵，也不能进行所谓的连横，这些对楚国是没有实质性利益的。从内部环境来看，目前国人正在享受胜利的喜悦和成果，几乎看不到未来局势的复杂与楚国面临的困窘。由此看来，楚、秦相争，楚国未必能夺取最终的胜利。

楚威王的担心与忧虑，在他去世不久就真的应验了。楚怀王没有他父亲那样的睿智，当然也不会有他父亲对国家命运的深深忧虑以及对未来走向的预见。但他深爱自己的国家，这一点又像他的父亲。

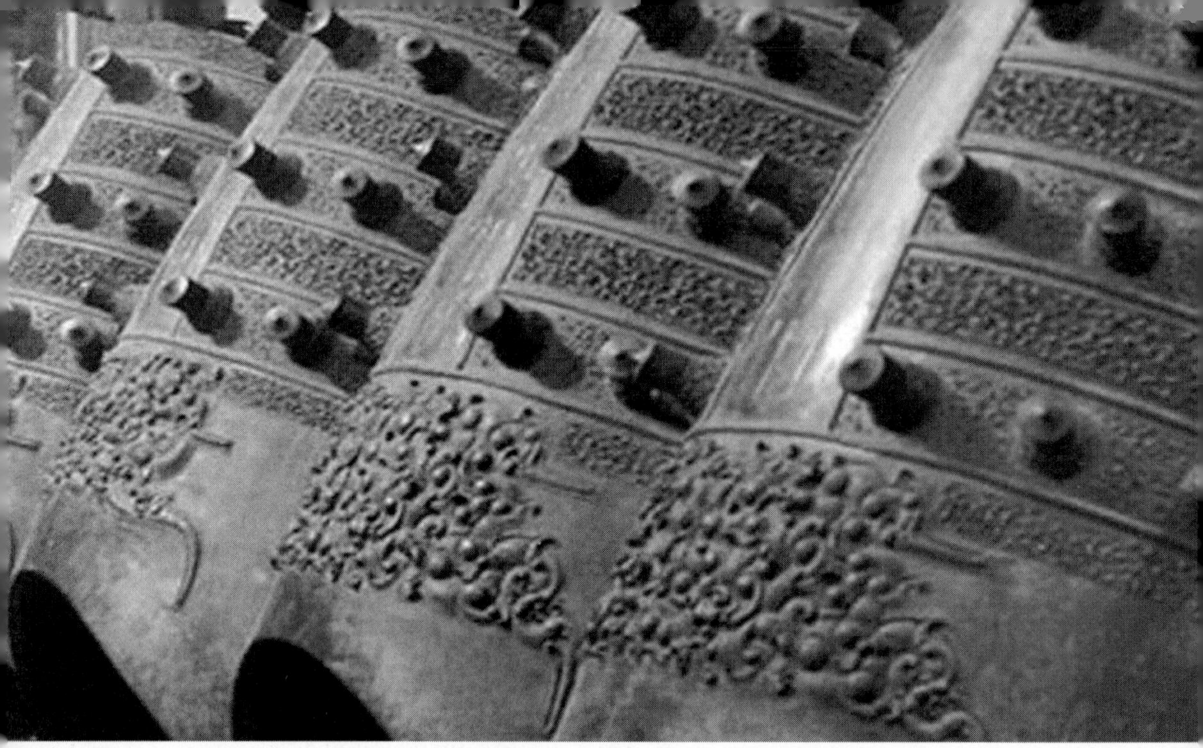

第四章

虽败犹荣：城破国亡的衰败沉沦

“结齐抗秦”的犹豫，“绝齐亲秦”的倾向，这样的政治抉择，让楚国国土大片沦丧，国力大为削弱。从此，楚国由盛而衰直至灭亡。历史是一面反光镜，这一百年的衰亡史，造就了一位伟大爱国诗人和政治革新者的诞生，他就是屈原。更值得我们深思的是，“楚虽三户，亡秦必楚”的帝国文化的孕育和诞生，亦是这历史的另一面。

一、西生秦患，北绝齐交

楚怀王在位时，楚国逐渐走向衰落。公元前 323 年（楚怀王六年），大司马昭阳率兵伐魏，破魏师于襄陵，夺取魏国八个城邑。继而挥师攻打齐国，这可把齐威王急坏了，一时不知所措。恰好陈轸代表秦国出访齐国，也在齐国国都临淄。齐威王赶紧问他如何是好。陈轸说："您先别急，让我来帮助您劝退楚师吧。"于是，陈轸来到楚师营中，见到昭阳说道："请问阁下，按照楚国的律法，作战中攻城杀将者能得到什么好处？"昭阳答道："可被任命为上柱国，享受上爵待遇。"陈轸又问道："还有比这封赏更高的吗？"昭阳回答说："令尹。"陈轸遂说道："您现在已是令尹了，这可是非常高的爵位了。臣下给您打一个比喻：一个将军把一壶酒赏给他的门客。门客们互相商量说：'这壶酒大家都来喝则不够，一个人喝则有余。让咱们在地上比赛画蛇，谁先画好，谁就喝这壶酒。’有一个人最先把蛇画好了。他端起酒壶正要喝，却又得意洋洋地左手拿着酒壶，右手继续画蛇，说：‘我能够再给它添上几只脚呢！’可是没等他把脚画完，另一个人已把蛇画成了。那人把壶抢过去，说：‘蛇本来是没有脚的，你怎么能给它添脚呢？’说罢，便把壶中的酒喝了下去。今阁下作为楚相攻打魏国，也没有比令尹更高的爵位赏赐于您。但如果失败，那您的性命和爵位都将失去，这对楚国是不利的，犹如画蛇添足啊。而引兵退却，对齐是一种恩惠，齐国会感激楚国的，这该多好啊。”昭阳听后，还真的撤退了。

大将拥兵自重，擅自下令撤退，这在楚国传统中是很少有的。而楚怀王并没有把这放在心上，根本觉察不出这是一种隐患，关键时刻甚至是亡国的潜在因素。他继续重用昭阳，听之信之。

最初，鼓吹连横之说的是张仪。他是魏国贵族的后代，曾拜师于楚国的鬼谷子。他学成之后，打算在魏国谋职，但魏惠王没有用他。他便携妻子来到楚国，成为令尹昭阳的一名门客。有一次昭阳大宴宾客，张仪也有幸被邀请前去。席上，昭阳拿出精妙绝伦的和氏璧，让大家一起欣赏，实际上是在炫耀。大家传来传去，都说这是块宝玉。之后大家边饮边谈，喝得尽兴，没有人再注意这块玉璧。宴席散了后，玉璧却不翼而飞。有人怀疑说：“张仪穷困，且品行不端，应该是他偷走了。”于是，昭阳命人把张仪抓起来，进行审问，直到打得遍体鳞伤，张仪仍矢口否认。因为没有确凿的证据，最后只好把他放了。张仪被抬回住处时，他的妻子说道：“你要是不读书，不到处游说，能受这样的毒打和羞辱吗？”张仪强忍着疼痛，微微抬头向妻子问道：“你看我的舌头还在吗？”妻子苦笑一声说：“不在还能说话吗？”张仪说：“只要舌头还在，就足够了。”可见，在张仪看来，他的优势是游说，只有靠它，才能有出头之日。

公元前329年，张仪离开楚国，去了秦国。七年后，他又回到了魏国。魏国因受到齐、楚的打击，想实施张仪曾提出的联合秦、韩进攻齐、楚的策略，而张仪的真正用意是偏向秦国的，即让魏充当秦国连横政策的带头羊。魏惠王发觉这是个阴谋后，一气之下把张仪赶回了秦国。秦立即派兵讨伐魏国。这对东方各国震慑很大。因此，楚、齐、燕、赵、韩开始对公孙衍的合纵政策感兴趣。

公孙衍也是魏国人，他首倡合纵策略。公元前319年（楚怀王十年），魏惠王任他为相，第二年，公孙衍发起五国伐秦的战略决策，即楚、赵、魏、韩、燕联合攻打秦国。五国之中，楚最强，故推选楚怀王为联军司令，统一指挥作战。但由于楚、燕与秦国的利害关系不同，实际出兵与秦作战的只有赵、魏、韩。结果，秦军获胜，五国伐秦的计划失败了。

楚怀王的另一个缺点是，不懂得珍惜人才。公元前322年（楚怀王七年），魏相惠施因张仪入魏为相而离开魏国，来到了楚国。但楚怀王没有任用惠施，而是派人把他送回家乡。惠施，宋人，是名家的宗师。公元前319年，田忌去齐奔楚，齐宣王及其相邹忌害怕楚国利用田忌危害齐国，就派人唆使楚国封田忌于江南，也没有重用他。

公元前318年（楚怀王十一年），经苏秦游说，楚、韩、赵、魏、齐、燕六国合纵，楚怀王再次为联军司令，攻打秦国。但联军很快就退却了。六国个个身怀鬼胎，打着自己的小算盘，说得头头是道，但真要前往讨伐秦国，都争当缩头乌龟。

虽然楚国君王和臣民以“天下莫富于楚”而自豪，但此时的楚国，物价昂贵，社会风气不正。这就是张仪所言的：“楚虽有富大之名，其实空虚。”

公元前316年（楚怀王十三年），秦利用巴、蜀矛盾而一举攻灭了巴、蜀两国，这极大地丰富了秦国的物产，推动了秦国国力的强盛。楚与秦角逐，最大的失策就是听任秦占领巴蜀地区。因为，从此以后，楚国就不得不瞻前顾后了。巴、蜀就在楚的西面，可楚国向来对它们不感兴趣。楚文化辐射力很强，覆盖面很广，向东、北、南三面扩散，唯独不向西面扩散。这与楚文化的平原情结息息相关。楚人从黄河中游到长江中游，一直生活在平原上，时间久了，便形成一种爱平原不爱大山的文化传统。楚人望祀，只祀大川，不祀名山。在这样的文化引导下，楚国积极向北、东、南三面扩张，而在西面仅仅是防御而已。

秦文化与楚文化似乎不同，它属于黄土高原文化形态，既能适应平原，又能适应山地。楚人之所以未能统一天下，或许因素很多，但平原文化的局限性和自我约束性不能不说是其中一大缘由。楚人对巴、蜀不屑一顾，而秦人则虎视眈眈，吞入口中，这样的两种态度，似乎预示着秦、楚争霸的结局，即楚败秦胜。

秦得巴蜀这一富饶之地后，如虎添翼，遂开始对其他六国不同程度的侵伐，比较成功地瓦解了六国合纵这一潜在的政治危机。

齐、楚为了自身利益，结为联盟。齐是东方大国，楚则是南方强国。齐、楚联盟对秦国是最大的威胁。公元前 313 年（楚怀王十六年），秦以楚、齐合纵为患，遂启用张仪的离间齐、楚的阴谋，假借罢免张仪丞相这一职务，让其到楚国游说。目光短浅的楚怀王，对张仪极为钦佩，听说他要来楚国，赶紧为其提供馆舍，好吃好喝地招待这位宾客。

楚怀王对张仪谦恭地说："楚乃南方偏僻之陋国，不知先生可否指教点什么？"张仪趁机说道："大王如果能听臣下一言，不如闭关与齐绝交，臣再游说秦王，让秦献出商於（今河南淅川一带）之地六百里给楚王，另让秦王美丽的女儿做您的妾，这样秦、楚两家是亲戚加盟友，即为兄弟之国。楚能北弱齐西益秦，秦感激楚，对楚也有利无弊，再也没有比这更好的策略了。"楚怀王很高兴，接受了张仪的建议，并封张仪为相，日夜与之饮酒。

楚国大臣们听说此事后，纷纷来向楚怀王祝贺，唯独陈轸向楚怀王吊丧。楚怀王一看，很恼火，说道："寡人不战而得六百里土地，你不向寡人祝贺，反而前来吊丧，你啥意思呀？"陈轸回答说："大王，事情并不是您想象的那样。六百里土地没有得到，反而让齐、秦联合，那我们楚国就危险了。"楚怀王说道："你把话给我说明白了，到底怎么回事？"

陈轸答道："秦国之所以重视楚国，尊重大王您，那是因为害怕楚、齐联盟。如果我们闭关与齐绝交，就是在使我们楚国孤立。秦国到处夺取他国领地，哪能割让自己的土地给别人？张仪去秦国，必定又会用有利于秦国的条件去游说秦王，张仪的话是对您的欺骗，到头来，我们楚国就形成了北绝齐、西患秦的腹背受敌之局面。还不如表面上答应绝齐，而派人跟随张仪，如果秦割让土地给我们，我们再与齐绝交也不迟，如果不割地于我们，那我们就不能按照他说的去做。"楚怀王听后，让陈轸不要再进言了，以免误了他得到六百里土地这一好事。

于是，楚怀王派使者前往齐国，正式与齐绝交。还未等第一位使者回来，楚怀王又急不可耐地派第二位使者前去。

其实，陈轸说的话很简单，也很重要，但此时的楚怀王，已经被张仪游说得晕了头，根本听不见任何意见和建议。他只是一味地想得到秦国的六百里土地，于是他再三派使者前往齐国，催促齐国与其绝交，废除盟约。

同时，楚怀王派一位使者随张仪来到秦国，办理六百里土地的割让手续。张仪一行来到秦国，暂时住在张仪的住处。还没进门，张仪故意摔了一跤，说走不了了。家人赶紧出来将其抬进屋里，叫郎中看看。这位楚国使者一看，对张仪说道："您得想办法上朝面见秦王，办理土地移交手续啊。"张仪答道："不要着急，等我过两天伤好了，一定亲自前去，你放心住下吧。"可一等，就是三个多月。张仪以各种理由搪塞，就是不上朝。

楚怀王刚听说张仪迟迟没有上朝，以为张仪觉得楚国绝齐的决心和诚心不够，于是又派一名使者前往齐国，大骂齐王。齐王对楚国的这种无赖行径感到愤怒，正好秦国所派的密使到了齐国，面见齐王，表达了秦、齐两国建立盟约的诚意，齐王遂与秦联合，共同抗击楚国。张仪得知秦、齐已结盟后，遂整装上朝。他对楚国这位使者说："我有食邑六里，送给贵国，你办理一下交接手续，然后就回国复命吧。"这位楚国使者傻乎乎地说："我来办理的是六百里土地的交接，没曾听说六里的事。"张仪说："我是一个小人物，哪有那么多的封地啊？"

楚国使者赶紧回去向楚怀王禀报此事，楚怀王这才感觉是被张仪骗了，他气得暴跳如雷，下令出兵伐秦。陈轸忙安慰楚怀王，劝其不要因气伤了自己的身体，进而说道："大王您不如以一名都，贿赂秦国，联合秦攻齐。失于秦的让齐来补偿，楚国还不至于有大的损失和危险。我们现在已和齐绝交，如果再去攻打秦国，那就会面临齐、秦联合讨伐我们的危险境地。这样，我们会吃大亏的。"

楚怀王为了报复张仪，以泄一己之愤，没有听从陈轸的忠言，派兵讨伐秦国。

公元前312年（楚怀王十七年），楚、秦双方大战于丹阳。结果，楚军大败，七十余将领被俘获，八万多士兵被杀，汉中郡也被秦国夺去。秦占领汉中后，遂与巴蜀连成一片，极大地巩固了它的大后方，基本解除了楚对秦本土的威胁。

战败的消息传来，令这头愚蠢的雄狮更加发昏，一心只想着报仇。在狂热的复仇情绪的支配下，楚怀王调集全部人马，对秦国发动全面战争。出发前，按照惯例进行祭奠，楚怀王祈祷神灵保佑楚国获得胜利。

秦师变换战略战术，以退为进。待楚师攻入蓝田，秦师才大举反击。起初，战况对秦师不利，毕竟楚师还是一支强大的军队。正在此时，韩、魏这些吃里爬外的小国，派兵偷袭楚国，已逼近汉水。楚师只好从蓝田回救，韩、魏见机撤退。

没过多久，楚师伐韩，秦人表面答应救韩，但迟迟不发兵。东周以军粮助韩师和秦师，楚师才退走。

就在楚怀王为征战而祭奠天神，祈求保佑时，秦国也进行了一场类似的行为，似乎在以非战争形式相互抗争。秦惠文王不但动员全部兵力投入战争，而且派人写了一篇文章，镌刻在石块上，诅咒楚怀王，祈求天神保佑秦师取胜。他为每一位天神刻石一块，在举行祈祷仪式中，投入江中或埋入地下。宋代在不同地方先后出土了三块石刻，命名为《诅楚文》。当时著名诗人苏轼还写有《诅楚文诗》一首。

公元前 311 年（楚怀王十八年），秦伐楚，夺取召陵。秦惠文王派使臣前往楚国，想以汉中郡的一半交换楚国的黔中郡。这是秦以易取之地换取难夺之地，进而对楚国进行迂回包抄的计划。

楚怀王被张仪欺骗后，不仅没得到六百里土地，还遭受了秦国的侵伐，在丹阳、蓝田之战中损兵折将，还丧失了一部分领地。因此，他对张仪可以说是恨之入骨，真想把他抓住，活扒了他的皮。正好秦国使者这么一说，楚怀王觉得报仇的机会来了，于是他向秦使者说道："寡人不想得到土地，只想得到张仪。如果贵国把张仪交给寡人，寡人就会把黔中郡送给贵国。"为了报一己之仇，而随意割让自己国家的土地给他国，这明显是一种卖国行为。

秦国使者回来向秦惠文王详细地作了汇报。就在秦王犹豫不决之时，张仪自己请求前往楚国。秦王担心他这一去凶多吉少，楚怀王不会放过他，不料张仪淡淡一笑说："大王放心，我会活着回来的。"原来，张仪与楚国的一位大臣靳尚关系很好，而靳尚又与楚怀王的宠姬郑袖关系很好。张仪接着对秦王说："先前是我欺骗了楚王，所以解铃还须系铃人，我必须得面见楚王解释清楚。况且有大王您，楚王不敢轻易杀我。即使真的杀死了我，我也不后悔。"秦惠文王听后，很感动。

张仪来到郢都，首先拜见了靳尚，向靳尚说明了一切，还送给靳尚一份厚礼，希望他能替自己解围。然后，他孤身一人觐见楚怀王。楚怀王一看到他，顿时怒火中烧，立刻下令将其监禁，准备活剐了他。靳尚赶紧去见楚怀王的爱姬郑袖，他向郑袖说道："大王要纳妾，夫人您可能要失宠了。"郑袖一惊，忙问："怎么回事？"靳尚便说："秦王非常喜爱张仪，可是大王要处死张仪。现在，秦王为了救张仪，准备把上庸六县送给楚国，把一位美人献给楚王，还附赠一些能歌善舞的女子进入王宫。以后大王一定以秦女为贵，夫人您不就被冷落了吗？"郑袖有点慌乱，忙问："那怎么办？"靳尚说道："夫人您和大王说说，让大王把张仪放了，这样您就不用担心了。"

郑袖是一个忌妒成性、刁蛮骄横的女人，她当然害怕失宠于楚怀王。有一次，魏国国君送给楚怀王一个美女，郑袖在旁一看，楚怀王很喜欢这位美人。为了讨好楚怀王，她故意装作也很喜欢的样子，还把自己的穿的、用的，甚至自己住的宫室，都让出来给这位美人。楚怀王听说后，很赞赏她的举动。但郑袖哪能平静，她开始策划一系列阴谋，要除掉这个碍眼的大美人。一天，她对这位美人说："大王非常喜欢你的美貌，就是嫌你的鼻子低了一点。你以后见大王的时候，最好用手帕遮挡住鼻子，这样，大王就更喜欢你了。"这位美人满以为这是在关心她，很感激。于是，她以后见了楚怀王就用手帕捂住鼻子，楚王很是纳闷。有一次，楚怀王向郑袖问起这件事。郑袖说："大王，我不是不知道怎么回事，而是不敢跟您说。"楚怀王说："你尽管说，我不会生气的。"郑袖悄悄对楚怀王说："她觉得您身上有狐臭的味道，所以用手帕遮挡鼻子。"楚怀王听后恼羞成怒，下令把这个美人的鼻子割掉，从此不再见她了。而郑袖仍像以前一样，独享楚怀王的宠爱。

郑袖按照靳尚说的，来到王宫，日夜缠着楚怀王，甜言蜜语，说得楚怀王神魂颠倒。这时她趁机向楚怀王说："张仪对大王是尊重的，人臣各为其主，他也是没有办法。如果您执意要杀死他的话，那我们母子就搬到江南去，因为秦人肯定要打过来，我们不能在此等待被俘获啊。"楚怀王经不住这位宠姬的哄劝，解除了对张仪的监禁，还像以往一样以礼待之。

后世诗人赋诗指责这个祸国殃民的王妃："宫花一朵掌中开，缓颊翻为敌国媒。六里青山天下笑，张仪容易去还来。"

张仪非但没离开楚国，反而又向楚怀王进言说："合纵政策无异于驱赶群羊进攻猛虎，很显然，羊是斗不过虎的。大王您不加入猛虎而入群羊，这是大错特错。凡天下强国，非秦即楚，非楚而秦。两国交争，势不两立。大王如果不和秦联合，那么秦就会和韩、魏结盟，到时秦攻楚之西，韩、魏攻楚之北，楚国就危险了。况且秦国现在据有巴蜀，大战船顺江而下，一日能行五百余里，用不了十天就能进逼楚关（今湖北长阳西），楚关受到威胁，楚国东部地区就很难保住。而西部的黔中郡也不再属于楚国了。秦军如果出北关，楚国北部地区也会断送。秦国进攻楚国只需三个多月，而楚国寻找诸侯帮助至少得需要半年。”

以战相胁之后，张仪又以和相诱。他对楚怀王说：“目前秦与楚相邻，如同兄弟般相处。大王如果能听臣下之言，臣请秦太子入质于楚，楚太子入质于秦，请以秦女为大王之妾，赐予封邑万户，永远都是好兄弟，再也不相互攻伐，岂不是很好吗？这对楚国来说，是最好的策略了。”

这一番热情洋溢的游说，使楚怀王变得六神无主，更不要说睿智的判断了。楚怀王对张仪说道：“楚国僻陋，位于东海之上。寡人年幼，不习国家之长计。今幸得先生赐教，寡人才得以明白如何治理国家，先生之言极是。”马上同意与秦和好，送走了张仪，并派使者以百乘入秦，献夜光之璧给秦惠文王，相约和亲。

楚大夫屈原出使齐国以重修旧好，这时刚回楚国。听说楚怀王要与秦和好，立刻上朝面见楚怀王问道：“为何不杀张仪？大王您已经被他骗了一回，我还以为大王您见到他后，一定会处死他。现如今非但没杀他，还再次听信他的邪说。这是天大的错误啊！”楚怀王说道：“答应张仪与秦和好，可以得到黔中，这是有利的事啊。如果我们反悔，这是违背道义的。”这个昏君真是糊涂至极，无药可救了。

张仪告别楚怀王，跑到韩国去了。楚怀王担心张仪再次食言，想派人监视他，一旦他食言，便就地杀了他。这时，大夫靳尚主动请求担当此任。靳尚当然不会这样做，只不过是欺骗楚怀王这个可怜的糊涂虫而已。

张仪来到韩国，开始游说韩襄王。他见到韩襄王说：“秦国就是想削弱楚国，而能弱楚的只有韩国。并不是说韩强于楚，而是韩国有利的地形可以胜楚。今大王西面事秦而攻楚，秦王必定高兴。”韩襄王表示听从这一建议。于是，张仪回秦国复命，秦惠文王封他为武信君。接着，张仪又去齐游说，使齐与秦和好。

此后的数年中，随着形势的发展与变化，楚国时而合纵抗秦，时而与秦联合伐齐。楚国的外交政策摇摆不定，根本没有一个符合自己国家利益的长远打算。

公元前 311 年（楚怀王十八年），秦惠文王去世，其子秦武王立。秦臣多厌恶张仪，秦武王也不喜欢他。恰巧这时齐宣王派使者前来，谴责张仪言而无信。张仪心不自安，自请到魏国去，游说使齐、魏两国相互攻击，以便秦国趁机伐韩与周。秦武王正好做个顺水人情，同意他去。齐、魏两国果然相攻，但不久就罢兵了，秦国也没有从中获得什么好处。张仪为魏相一年多，在众人的谴责声中去世了。

公元前 309 年（楚怀王二十年），经齐宣王策划，楚怀王同意联齐、韩对抗秦国。

秦武王野心勃勃，想做天子。他打算通过韩国胁迫周王室让位于他。公元前 308 年（楚怀王二十一年），秦攻打韩，围攻宜阳（今河南宜阳）。韩国向楚求救。楚国派景翠率兵前往救援。秦人害怕楚师进攻，不惜以地贿楚，韩人亦唯恐景翠迟迟不进攻，也献给景翠重金。景翠左右逢源，若即若离，虚张声势。结果，秦师付出了惨重的代价才攻克宜阳。

公元前 307 年（楚怀王二十二年），秦武王的帝王梦还没做多久，他就去世了。秦武王死后，时年 20 岁的秦昭襄王继位，由宣太后临朝主持政事。秦昭襄王是秦武王的异母弟，其母亲就是宣太后。宣太后是楚国人，她是不愿与楚为仇的。

公元前 306 年（楚怀王二十三年），楚国攻灭了越国。越地并入楚国，增强了楚国的实力。这时的楚国，就疆域而言，仍是七国之首；但从形势来看，却是七国之尾。

公元前 305 年（楚怀王二十四年），秦国发生内乱，秦昭襄王乃厚贿楚，与楚和亲。楚怀王经不起诱惑，遂背弃齐国，而与秦国联合了。第二年，秦昭襄王与楚怀王会盟，秦把上庸归还给楚。

公元前 303 年（楚怀王二十六年），齐、韩、魏三国因楚、秦和好违背了合纵抗秦的盟约，而联合攻打楚国。楚怀王派太子横前往秦国做人质，请求秦国支援。秦昭襄王派兵救楚。三国一见秦出兵，立马撤退。

公元前 302 年（楚怀王二十七年），楚太子横因个人恩怨杀死了一位秦国大夫，逃回楚国。由此，秦、楚友好关系破裂。当然，这只是一个借口。此时秦昭襄王的势力已经巩固，宣太后也老了，指挥不了这位年轻人了。秦国不再需要楚国这位外援了。

公元前 301 年（楚怀王二十八年），齐国趁机联合韩、魏共伐楚，大破楚师于方城。当时，楚国派大将唐昧率兵作战。双方在沘水两岸对峙，相持半年之久。三国联军因不知水的深浅，不敢贸然进攻。后抓到一个渔夫，三国联军才得知楚国重兵把守的地方水浅，防守力量薄弱的地方水深。于是三国联军派精锐部队深夜从楚国重兵防守的地方抢渡，发动突袭，结果楚师大败，唐昧被杀死。据说，唐昧还是一个非常优秀的天文学家。韩、魏两国分别攻占了宛县和叶县以北的土地。

这次秦国非但没有救楚，反而趁楚军疲惫之际，在此后的两年之内两次对楚进行攻击。一次是公元前 300 年（楚怀王二十九年），派庶长奂伐楚，楚损失精兵两万。楚怀王害怕齐、韩、魏趁火打劫联合秦再次伐楚，于是命太子横入质于齐以求和。另一次是公元前 299 年（楚怀王三十年），秦将芈戎攻楚，夺取楚国八城。芈戎乃宣太后同父弟，受封为华阳君。这些纯属或半属楚人血统的秦人，同秦昭襄王一样，莫不以损楚益秦为快。

有时，战争并非获取利益的唯一手段，而非战争的形式或许得到的更多。秦昭襄王的一份书信，就让秦国获取了意想不到的战果。

书信的内容是这样的，秦昭襄王对楚怀王说："起初，寡人与君王相约为兄弟，在黄棘结为金兰之好，太子互质，这是多么好的事啊！后来贵国太子杀了我的大臣，不接受惩罚就逃跑了，寡人一时气急，派兵侵犯了贵国的边境。现在听说君王派太子入质齐国以求和，这或许就是我们之间的误会所造成的。秦、楚向来山水相依，互结婚姻，相好已久，如果不合，就难以号令天下。所以，寡人愿意与君王解除误会，和好如初。请您前往武关，让我们兄弟结盟友好。”

楚怀王打开信件一看，有些犹豫，去吧，又怕是一个骗局，不去吧，如何回复？大臣昭睢说：“大王不要前往。秦国乃虎狼之国，有并诸侯之心，决不可轻信。”屈原也认为楚怀王不能前往赴约。而楚怀王幼子子兰却劝说父亲前往，并说：“为什么要拒绝秦王的好意呢？”

楚怀王考虑再三，为了与秦和好，使楚国在逆境中避免更大的损失，他决定前往赴约。

秦昭襄王当然不会在武关，而是派一员大将守着，秘密布置力量，就等这位糊涂蛋往里钻。楚怀王进入武关，才发现秦昭襄王根本就没有来，但为时已晚，秦军将楚怀王挟持到咸阳。秦昭襄王在章台会见楚怀王，而且以不对等的礼仪来接见他，俨然一副天子的架势。楚怀王遭到羞辱后，才后悔没有听从屈原等大臣的劝告，但已无济于事了，只好硬着头皮撑下去，看看这个虎狼之人究竟想干什么。

秦昭襄王把楚怀王软禁起来，胁迫他把巫郡和黔中郡等土地送给秦国。楚怀王虽然糊涂、昏庸，但还是爱国的，断然拒绝了秦国的这一无理要求，宁死也不答应割让自己祖国的寸金寸土给这个狼心狗肺的昔日盟国兄弟。于是，秦人也陷入僵局，此时还不敢杀掉一个大国之君。

但楚国自身却先陷入危局。国不可一日无君，军不可一日无帅。眼看着楚怀王被秦国囚禁有些时日了，一些楚国大臣坐不住了，特别是窥视朝中权力的人，想趁机赚取政治资本。于是有人提出，既然君王在秦国回不来，太子又在齐国当人质，也回不来，只能立楚怀王幼子子兰为王了。昭睢力排众议，他说：“大王和太子现在都被困在他国，我们不想怎么去解救他们，而是在这里讨论王位废立问题，这恐怕不合适吧。”

在说服多数大臣之后，昭睢立即奔赴齐国，撒谎说楚怀王已死，请太子回国继位。

齐闵王召集群臣商议，有人说："不如我们借机扣留太子，让楚国送我们一些土地。"齐相说："如果楚国另立王，那我们扣留太子也是无用的，而天下会说我们齐国不仁义，岂不是适得其反？"又有人反对说："如果他们另立新王，那我们就要挟新王，如果割地给我们，我们就帮其杀死太子，这样他不就名正言顺地为王了吗？否则，我们联合秦、韩、魏共同立太子为王。"大家没有形成一致意见，最后齐闵王还是送太子横回到了楚国。

太子横回国后，被大家拥立为王，是为楚顷襄王。楚人还告知秦王，赖国家社稷有灵，楚国有王了。秦昭襄王听说楚国已立太子为王，要挟不成，一气之下，于公元前 298 年（楚顷襄王元年），率兵攻打楚国。楚军大败，5 万将士被杀。秦国还夺取了析地（今河南西峡）及其附近 50 座城。

楚人开展外交活动，使得齐、韩、魏联合伐秦，秦师受挫，三国联军进逼函谷关。

公元前 297 年（楚顷襄王二年），楚怀王趁看守疏忽，逃了出来，准备回楚国。秦王很快得到报告，下令全城戒严，封锁各个通往楚国的交通关卡，务必抓回楚怀王。楚怀王不得不从小道辗转来到赵国。这时赵惠王刚继位不久，不敢得罪强大的秦国，所以拒绝楚怀王入境。楚怀王正准备到魏国，却被追兵抓住，又被押回到咸阳。不久楚怀王病重，死在秦国。秦昭襄王没有想到楚怀王竟这么顽强，他不愿让天下的人知道楚怀王是被秦国逼死的，于是赶紧通知楚国把楚怀王的尸体运回楚国。楚人看见楚怀王的尸体，很悲痛，也更加痛恨秦国，从此，秦、楚彻底绝交。

恐怕连秦昭襄王也没有想到的是，他的这一软禁，使楚怀王在国人心目中的印象有了一个质的改变。在未前往秦国赴约时，楚人对这位君王是非常不满的，认为他是一个软弱、没有洞察力、听信奸臣，特别是一次次上当受骗的糊涂蛋，让楚人处处挨打，让楚国的领地渐渐丧失。但秦国的软禁，却让楚人看到了一个不一样的君王，他宁死不屈，意志刚强，决不为威武所屈，宁客死他乡，也不捐弃国土。正是这样，他赢得了几代楚人的尊重和怀念。楚怀王，误国，但爱国；糊涂，但坚强；误国误得荒唐，爱国爱得坚定，这是我们今天读楚史之后的一种感慨。

从张仪入楚到楚怀王客死他乡，长达 18 年。这 18 年，是楚国历史发展中的重要转折时期。这一时期楚在与秦的交往中，一再受骗，在与秦、齐、韩、魏的战争中一再受到重创，国土大片沦丧，将士不断洒血疆场。如果说在这之前，楚国北上中原，称王称霸，傲视一切，甚至达到可以一统天下的态势，但这之后，楚人只能眼睁睁地看着秦、齐两大强国争雄中原，甚至只能眼睁睁地看着自己被秦灭亡，楚国真的已经无能为力了。

二、油尽灯枯，城破国亡

历史的发展是不以人的意志为转移的，一个国家的存亡也是不以人的意志为转移的。当一个国家开始走向衰落时，其产生的国君往往是一个不如一个。这反过来又加速了灭亡的进程。

楚顷襄王即位时，楚国已处于风雨飘摇之态，而他还是一个不作为的君王，国家朝政皆由大臣裁决。如果说楚怀王对秦斗争的失败成为楚国由盛而衰的转折点，那么楚顷襄王对秦斗争的失败，则加速了楚国的灭亡。

有人会发出这样的感叹，如果楚顷襄王善于利用国人对秦的痛恨，整顿朝纲与吏治，任用贤臣良将，那么楚国也许会强大起来，甚至大败秦国。只可惜，这是一种假设，历史是无法假设的。

楚顷襄王不仅没有激发国人抗敌的力量，反而排斥忠良，任用佞臣，不顾国政。

公元前295年（楚顷襄王四年），秦为了集中力量进攻韩、魏，扩展势力与扩张领土，一方面与齐重归旧好，另一方面与楚和解。当时正值楚国遇到粮食危机，秦国遂援助楚国5万石粮食，楚顷襄王欣然接受这番“雪中送炭”之情谊。

公元前294年（楚顷襄王五年），秦向韩、魏发起攻击。第二年，秦将白起率兵大破韩、魏、周联军，斩首24万。这次大胜使得秦昭襄王更加狂妄，对楚国继续欺压。秦昭襄王写信给楚顷襄王说：“楚如果背叛秦，秦将率领天下所有诸侯攻打楚国。请君王整顿军队，准备进行一场战争吧。”楚国君臣感到害怕，决定与昔日仇敌和好。公元前292年（楚顷襄王七年），楚顷襄王迎娶秦女为夫人。宋朝司马光曾言：“秦太残暴，杀了楚怀王，还胁迫他的儿子楚顷襄王，而楚顷襄王太不争气，忍其父而婚其仇”，即忍受杀父之仇恨，而与自己的仇敌之女儿结婚。

公元前285年（楚顷襄王十四年），秦、楚两国会于宛，再次缔结友好盟约。此时的楚顷襄王，想的是做一天和尚撞一天钟，得过且过。而秦昭襄王则是在运筹帷幄，企图称霸天下。在会盟上，秦昭襄王对楚顷襄王炫耀说：“我们蜀地之甲兵，五日就可抵达郢都，而大王想看到有人攻破函谷关，将是一件很遥远的事啊。”显然，秦昭襄王的话里悬藏着杀机。

公元前284年（楚顷襄王十五年），以秦为主谋，以燕为主力，六国联军伐齐，齐师大败。

公元前283年（楚顷襄王十六年），秦、楚再次相会。公元前281年（楚顷襄王十八年），楚顷襄王派人北上，谋求合纵抗秦。据说，楚顷襄王能够作出这样的行动，得益于楚国一位猎人。这位猎人很有才干，可以说熟知天下大事。有一天，楚顷襄王问这位猎人如何应对天下形势。他谦虚地说道：“小臣只有雕虫小技，哪敢向您陈述国家大计？”经楚顷襄王再三询问，他才娓娓道来：“秦、魏、燕、赵好比林子里的大鸟，费、郏等小国好比小鸟，而齐、鲁、韩、卫则为不大不小的中鸟。大王何不以圣人为弓，以勇士为缴，寻找时机张而射之？先王客死他乡，这是楚国的莫大耻辱。匹夫有怨还不惜生命前去报仇，何况国家呢？今楚地方五千余里，带甲百万，而坐此受困，恐怕这不是您所应该做的吧。”这番风趣而深奥的言论，说得楚顷襄王心悦诚服，所以才作出难得的雄心壮志之举。可惜，这仅是他人生的一个小片段而已。

公元前 280 年（楚顷襄王十九年），秦伐楚，楚割汉北和上庸之地予秦以求和，但秦受其地而未与之和。

公元前 279 年（楚顷襄王二十年），秦大将白起率兵攻打楚国，攻克郢都北面与西面的两道屏障，郢都告急。

公元前 278 年（楚顷襄王二十一年）春，秦将白起引兵南下，所向披靡，一举攻克了楚国的国都郢。此时，楚国人心、军心涣散，无力组织有效抵抗。楚顷襄王携文武百官弃城而逃，迁都于陈县。

白起以攻破楚国郢都而受封为武安君，他赢得这场战争原因如下：一是楚王不打理朝政，不体恤民情，而楚国大臣们争权夺利，谄媚用事；二是楚国良臣被斥退，百姓心离，城池不修，既无良臣，又无守备；三是秦军士兵以军为家，以将帅为父母，同心协力，不约而亲，不谋而信，而楚军独立为战，各顾各，自顾自，毫无斗志。这样，秦国必定取胜。

白起破郢，是楚国历史上一次重大事件，标志着楚国进一步衰落。楚国从此不再是强国了，也毫无实力与秦对抗了。

郢都在楚史上曾两次失守，第一次是被吴攻占，但很快就收复了。而第二次被秦攻占，直到楚国灭亡，始终都没有收复。在秦军强大的铁骑践踏与蹂躏下，无数的楚人被杀死，千年古器被洗劫一空，高大巍峨的宫殿被焚毁，这座承载着几十代楚人励精图治、艰苦卓绝的都城，就这样成为一片废墟。

楚国共有 20 位国君在这里执政，前后绵延长达 411 年。在这个华丽的殿堂里，集中了楚文化的精髓，它所呈现出来的都市胜景，可与齐国的临淄、赵国的邯郸相媲美。在这四百余年里，它是楚国的政治中心、经济中心与文化中心。在这里，遍布着楚文化的遗存，就像一座巨大的文物宝库，被当今考古学家誉为我国南方不可多得的“完璧”。

郢都故城位于今湖北江陵县境内，因在纪山之南，所以又称“纪南城”。现已被国务院列为全国重点文物保护单位。在这里，我们可以窥探楚文化的灿烂面貌，可以探索楚文化的兴起、发展历程。

楚顷襄王及其臣僚逃到陈县，迁都于此，并开始加固新都城防。其实，对于秦人而言，无论怎么加固，这个新都也是不堪一击的。

秦攻破楚郢都后，以楚腹地为南郡，进而与韩、魏合谋共同伐楚，白起为三军统帅。楚国遂派能言善辩之士黄歇出使秦国，以图瓦解秦与韩、魏联合之谋。

黄歇来到秦国，上书于秦昭襄王说：“天下最强大的就是秦、楚了，听说大王要伐楚，如果这样，那将是两虎相斗，对谁都没有好处。依臣之见，不如秦、楚联合，以备韩、魏。”秦昭襄王也考虑到韩、魏向来左右摇摆，不可深信，于是他听从了黄歇的建议，命令白起按兵不动，同时派使臣前往楚国，与楚顷襄王相约友好。

不久，秦、楚两国元首相会于襄陵，楚顷襄王答应割青阳（今湖南长沙市一带）以西给秦国。因为楚顷襄王觉得，自楚师北上之后，青阳必将弃守，何不以弃之地换取存活之时？

公元前 277 年（楚顷襄王二十二年），秦蜀郡守张若接管了巫郡与黔中郡。公元前 276 年（楚顷襄王二十三年），楚国曾一度收复青阳以北、南郡以东的 15 个城邑，这些地区有着丰富的矿产资源，有了它们，就可保住楚国的经济命脉，这样至少可延续楚国微弱的生命，无之则势必速亡。所以，楚国不惜调集 10 万兵力全力以赴夺回此地。

公元前 272 年（楚顷襄王二十七年），三晋攻燕，秦助三晋。楚以景阳为元帅，也扬言攻燕，实则袭魏。当时，楚军稍有恢复，景阳乃一员名将，虽嗜酒好色，但威服诸侯，颇有功名。之后，楚、秦一度和好。

楚太子完，以黄歇为傅，入秦为质。

公元前 263 年（楚顷襄王三十六年），楚顷襄王病重，遣使臣到秦国，想让太子完回国。秦国不答应。黄歇与秦相范雎关系不错，于是对范雎说："目前楚王病危，贵国不如放太子完回国。一旦楚王去世，太子当立，那么楚必重秦，对秦友好。如果不放其回去，那么对贵国来讲，太子完只不过是咸阳一布衣而已。楚国另立太子，继而为王，必不事秦，秦、楚关系断裂。这恐怕不是贵国愿意看到的结果吧？还请贵国君王三思。"范雎觉得黄歇说得有道理，就立即向秦昭襄王如实禀报。秦昭襄王让黄歇先回楚国，看看楚王的病情如何，再作下一步打算。黄歇担心的是，如果楚顷襄王病故，太子完回不去，那么楚国就会另立他人为王，这对他和太子完都是不利的。于是，他心生一计，让太子完化装成一个赶车者，随楚使回国。

等得知太子完确已回楚国，黄歇才上报秦昭襄王，说："我放走了太子完，他已回国，请治罪于我吧。"秦昭襄王大怒，让黄歇自尽。范雎劝道："黄歇是一个臣子，他必须要效忠他的主子。太子完立，必用黄歇，故不如释放他回楚国，以示对楚的友好，那样楚必亲秦。"为了集中力量对付三晋，秦昭襄王同意范雎的建议。

公元前 263 年秋，黄歇回到新都陈郢不到三个月，楚顷襄王就去世了。太子完继位，是为楚考烈王。公元前 262 年（楚考烈王元年），楚以黄歇为令尹，封其为春申君，赐县邑 12 个。是年，楚考烈王为了报答秦释放他的这一恩德，割州邑予秦，此地界位于秦、楚之间，在今湖北洪湖市东北。

春申君黄歇，与当时齐国的孟尝君田文、赵国的平原君赵胜、魏国的信陵君魏无忌，并称为"战国四大国相"。四人各有食客千人，礼贤下士，辅国专权，在诸侯当中威信很高。

公元前 261 年（楚考烈王二年），楚攻鲁，割其地。第二年，秦攻赵，双方相持于长平。后因赵孝成王罢免大将廉颇而起用纸上谈兵的赵括，结果赵军四十多万被屠杀。之后，邯郸被围困。平原君的夫人为信陵君的姐姐，于是想通过信陵君请求魏国出兵救援。魏国虽派兵前去援助，但中途受到秦国的威胁，而勒兵不进。平原君一看事情紧急，只得求救于楚，于是他挑选几十名有勇有谋的宾客，准备突围前往楚国。就在他严格挑选期间，有食客毛遂自荐前往。这就是“毛遂自荐”成语的来源。平原君说道：“先生在我门下已三年，从未听人说起你、称赞你，说明先生不能，请先生就不要跟着去了。”毛遂答道：“如果有机会，臣下早就脱颖而出。”平原君见毛遂如此自信，便同意带其突围前往楚国。到了陈郢，他们觐见楚考烈王，平原君向楚王指明利害。但从早晨到中午，楚王也没有表态。毛遂说道：“三言两语就可搞定，您怎么一上午还没有得到回复？”

楚王一看这个小毛孩，问平原君：“这是何人？”平原君说：“他是在下的一位食客。”楚王很不高兴：“寡人与你们主人说话，你小小毛孩，还不下去！”毛遂按剑走上前说：“大王之所以敢呵斥鄙人，是因为楚国人多，力量强大。但现在十步之内，大王的命已掌握在我的手中，我的主人在此，您怎么能这样无礼？楚地方数千里，带甲百万，乃霸王之资也。以楚之强，天下无敌。白起，小小将领，率数万之众，兴师伐楚，一举攻破郢都，羞辱大王先人，此百世之怨，就连我们赵王都感到羞愧，而大王却不知抱怨，洗刷耻辱。合纵是为了楚，而不是为了赵。”楚王一看这阵势，有些害怕，哆哆嗦嗦地说道：“先生说得对，寡人听从先生的安排。”毛遂说道：“楚愿意合纵吗？”楚王说：“愿意。”毛遂对楚王左右说道：“拿鸡、狗、马血来。”毛遂拖着放有血的盘子，跪在楚王面前说道：“大王应歃血以约定合纵，接下来是我们的队长，最后是鄙人。”

毛遂以过人的胆识与自信让楚考烈王为之震慑与折服，赵、楚合纵由此缔结。平原君对这位不起眼的食客，也刮目相看了。

春申君黄歇主动请战，率兵北上救赵。信陵君魏无忌也想法北上来援助赵国。楚、魏援军到达邯郸时，秦军正在围攻。平原君组成 3000

人的敢死队，对秦军发起突袭，秦军大惊，退却30里。加上楚、魏联军的攻势，秦师不得不撤离回国。

这次战役说明，只要六国合纵，秦国无敌的神话就不复存在。但这样的合纵仅仅存在一时，而不是一世。

公元前256年（楚考烈王七年），楚灭鲁。公元前253年（楚考烈王十年），楚以钜阳为陪都，其地在今安徽太和县东。公元前251年（楚考烈王十二年），秦昭襄王去世，春申君黄歇代表楚国前往吊唁。秦昭襄王子继位，是为秦孝文王。秦孝文王为太子时，以宠姬为正夫人，即华阳夫人。华阳夫人无子，遂以夏姬子为子。华阳夫人是楚人，常思念家乡，乃给这个非自己亲生的儿子起名叫子楚。秦孝文王立一年就去世了，子楚继位，是为秦庄襄王。

公元前247年（楚考烈王十六年），信陵君积极策划合纵抗秦。诸侯尊其贤，敬其义，积极响应他的这一号召。信陵君于是联合赵、魏、韩、楚、燕五国伐秦，进逼函谷关，秦军不敢东向。秦人重贿魏将，使之向魏国国君进谗言，信陵君被夺去兵权，这次合纵攻秦的计划也就随之失败了。

之后不久，秦庄襄王去世，子政立。秦军继续东征，割三晋之地。

公元前241年（楚考烈王二十二年），春申君积极策划合纵伐秦，楚考烈王为纵长，由赵将庞援率赵、楚、韩、魏、燕五国联军攻击秦。到了函谷关，秦军还击，联军败走。

秦军进逼楚国陈郢都城，春申君听从门客朱英之议，请楚考烈王下令迁都寿春，是为寿郢。

楚考烈王无子，春申君很担忧。这时，从赵国来了一个叫李园的人，他有一位漂亮的妹妹。李园本来是想把妹妹献给楚考烈王，但听说楚考烈王不能生育，遂献给了春申君。不久，李园的妹妹有了身孕。然而，一场可怕的阴谋也随之而来。

李园怂恿妹妹向春申君进言说："楚王对您恩宠有加，就连他的兄弟都比不上您。现如今您已当了20年的丞相了，楚王又没有儿子，一旦楚王驾崩，那么必定立其兄弟为王，到那时，新王一定重用他的旧臣和嫡系，那么您就会遭到排挤，失去丞相的尊贵，说不定还招来杀身之祸。婢妾现已有孕，无人知道，莫不如您将妾献给楚王，楚王必将宠信婢妾，如果将来生男子，则定为新的楚王，这样您不但保住了丞相之位与封地，还能执掌楚国大权，楚国就是您的了。”这位贤相竟听信了小女子之谗言，犯下了不可饶恕的罪行。

事有凑巧，李园的妹妹果真生了一个男孩，楚考烈王老来得子，非常高兴，当即立为太子，以李园的妹妹为王后。李园害怕事情败露，决定设计杀死春申君。

公元前238年（楚考烈王二十五年），楚考烈王病危。门客朱英向春申君献计，如果君王驾崩，让春申君立即杀死李园。春申君认为李园对自己挺好，不能无故杀死他。朱英听后，恐怕祸及自己，遂离开了楚国。

没过几日，楚考烈王去世。李园果然杀死了春申君，尽灭其族人。这就是当断不断，反受其乱。于是，他妹妹的这个儿子就当了楚国国君，即楚幽王。

公元前237年（楚幽王元年），秦国发生了著名的逐客令事件。而幸免于难的李斯是一位楚人。秦国统一天下，特别是吞并六国之后，在制度建设方面所作出的伟大贡献，都与这位楚人丞相分不开。我们说，楚国不是没有人才，而是留不住人才，这或许也是楚国未能统一天下，而最终被对手秦国所灭的一个重要因素吧。

尽管此时楚国仍是仅次于秦国的第二大国，物产丰富，疆域辽阔，但它已处于风雨飘摇之中，百年的盛世将付诸东流，600年的艰苦奋斗之基业也将毁于一旦。

秦军如决堤之水，势不可挡，诸侯一个一个地倒在它的屠刀之下。公元前230年（楚幽王八年），秦灭韩。公元前228年（楚幽王十年），秦灭赵。这一年，楚幽王去世，无子，同母弟犹代立，是为楚哀王。楚哀王立仅两个月，就被庶兄杀死。庶兄负刍自立为王。公元前226年（楚王负刍二年），秦攻楚，掠十余城。第二年，秦灭魏。三晋亡后，楚人失去了屏障，将直接面对秦的攻伐了。

灭楚，可不像灭韩、魏那样容易。秦国有一位年轻的将领叫李信，他在追捕燕太子丹的过程中表现得很英勇，于是秦王政问李信："寡人想攻灭楚国，你看需要多少人？"这位年轻气盛的将军不假思索地回答说："最多用20万人就足够了。"秦王政又回头问了问老将王翦。王翦说："至少也得60万。"秦王政一听，说："看来王将军真是老了，胆怯如此啊。还是李将军勇敢善战，就让他去吧。"于是，秦王政命李信、蒙武率领20万大军对楚发起攻击。李信等人起初连连获胜，引兵西向，各路人马相约会于城父。楚军尾随李信部三日三夜，李信竟浑然不知。楚军借机突袭，大胜，突破几道封锁，杀死秦军7名都尉，秦军败走。楚军士气大振，继续西进。

秦王政一听李信失败而归，觉得自己一时糊涂，轻信了年轻气盛的李信，看来姜还是老的辣。他亲自前往王翦的家乡，请这位老将出马。他向王翦致以深深的歉意，说道："而李信率军在前方打了败仗，让我们秦军蒙羞。现在楚军已向我们步步进逼，将军虽身体不好，但也不能丢下寡人不管吧。"王翦说道："大王如果让臣带领作战，必须得给我60万人马。"秦王政想了想，也只能这样了，就答应了王翦的要求。

公元前224年（楚王负刍四年），王翦、蒙武率领60万大军攻打楚国。楚国也不甘示弱，征集了所有将士，派往西线阻击秦军。王翦的战略是求稳，不轻易攻击。最初，秦军坚守防御，任凭楚军挑战，就是不主动攻击。双方对峙数日，王翦感觉可以进攻了，正好楚军因为给养问题，向东转移，于是王翦命令部队全线出击。结果，楚军大败。公元前223年，秦军挥师南下，攻破寿郢，席卷淮南，俘获负刍，楚国灭亡。秦设楚郡领淮水中游故楚地。

接着秦灭燕、灭齐。于是，秦吞并六国，统一天下。

三、荆楚文化，气息长存

历经800年的楚国，就这样结束了，但它所创造的楚文化，则远远没有结束，没有消亡。它是中华传统文化中不可分割的重要组成部分。

止戈为武的思想，最早出自楚人。没有哪个民族，没有哪个文明将一个诗人之死化作自己的民俗，化作一个节日，年年度度地重复、感怀，一直持续了两千多年。屈原的灵魂一直在中国文化中飞扬。“大风起兮云飞扬，安得猛士兮归故乡”，这是典型的楚歌。

楚文化是在漫长的历史岁月中，不断发展壮大的。春秋以前，在兼采华夏文化和蛮夷文化之长的基础上，楚人开始创造自己的特色文化。崇火、崇凤、好巫、开拓进取、不拘礼法、标新立异等特点为后来楚文化的发展奠定了基础。

春秋时期是楚文化的发展期，这个时期，楚文化开始呈现出自己鲜明的特点，表现在各个方面。

战国时期是楚文化的兴盛期。此时，铜器生产登峰造极，铁器普遍推广，丝织刺绣兴旺发达，漆器木器应运而生，物质文化可算是达到了顶点。同时，楚国精神文化大放异彩，从哲学到文学，从字画到乐舞，无不独具一格，千百年来为人们所传颂。

秦汉之际为楚文化的转变期。秦国灭掉了楚国，使楚文化遭受重大打击。但楚文化并未被打倒，楚人刘邦、项羽大兴楚文化，使楚文化有复苏之势，但离开了物质文化根基的楚文化终究是不可能沿着自己的道路发展下去了。

汉武帝独尊儒术后，自成体系的楚文化不复存在，但楚文化的某些因子却与传统中原文化一样，成为新的汉文化的组成部分。

欲全面了解中国先秦文化，则不能忽视楚文化；欲全面了解中国青铜文化，则不能忽视楚国青铜器；欲了解中国漆器业，则必须了解楚国漆器；欲了解中国丝织业，则必须了解楚国丝织品。

从考古发掘来看，现在发掘的楚墓近万座，一般都有漆器，多则几百件，少则数件。其中最有名的要数湖北荆州，这一地区出土量大、保存好、数量多、品种全，是楚国漆器的集中出土区域。

具有典型楚文化特点的漆器，是虎座飞鸟和镇墓兽。前者可能是用于丧葬，或者生时用于室内陈设的摆件；而后者可能是完全用于丧葬的某种灵物的象征。1965 年出土于江陵望山楚墓的木雕座屏，是楚国漆器雕刻艺术中的集大成者。楚人超群的才智与精湛的技能，在这件漆木雕刻上得到充分的展现。木雕座屏体积很小，但是雕刻家用透雕、圆雕、浮雕相结合的综合工艺，刻出凤、鸟、鹿、蛙、蛇等 55 个生动活泼的动物。这些动物用整木雕成，每一局部都是单个可爱的圆雕作品，合起来则是一组生机盎然的童话世界。楚国漆器纹饰色彩斑斓，构成多样，线条婉转曲折，大多为吉祥的灵物或纹饰，显示升仙与长寿的文化意义。

迄今为止考古发掘出土的楚国漆器中大多为使用器，即日常生活中实用的物品，但楚人就是利用这些普通物品创造出了一件件艺术珍品。如漆豆是一件常见的器物，就是我们现在所说的果品盘，但在江陵雨台山的一座楚墓中出土了一件彩绘的鸳鸯漆豆，上为盖，下为盘，但盖和盘组合在一起形成一只侧视的鸳鸯，若将其放在几案上，这只鸳鸯会悠闲、静谧地面对着观赏者。这是一件既具有实用功能又具有极高欣赏价值的艺术品。又如曾侯乙墓出土的漆鸳盒，全身雕成一只鸳鸯，较雨台山的鸳鸯漆豆，更加自然、灵巧。

还有些漆器纹饰中，穿插着主题性的绘画，有的甚至十分完整，体现了中国绘画在战国时期的重要特色。如 1941 年长沙黄土岭出土了彩绘车马、人物花纹漆奁，1952 年长沙颜家岭出土了绘有图案的漆奁，1957 年信阳长台关出土了绘有狩猎场面的漆瑟，1978 年随州擂鼓墩 1 号墓出土了绘有二十八宿图案的漆箱和绘有人、物的鸳鸯形盒等。荆门包山 2 号墓出土的漆奁上的《迎宾图》，绘有众多的人、物，堪称楚漆画中的奇葩，在我国古代绘画艺术史上占有重要的地位。

考古发现的楚国丝织品至今已达几十起之多，主要集中在湖南长沙、河南信阳、湖北江陵等地。品种十分齐全，几乎包括了先秦丝织品的全部品种。江陵马山 1 号楚墓是一座小型的贵族墓，共出土各类衣物 35 件，其中有刺绣的衣物 21 件。这些衣物由 8 个品种的丝织物制成，另在 4 件竹笥中装有 12 个品种的 452 片丝织物碎片。这座楚墓出土的丝织品品种之多、工艺之精、保存之好都是前所未有的。江陵马山 1 号墓因此被称为“丝绸宝库”。

楚国丝织品质地轻薄。长沙左家塘 44 号楚墓出土的一块浅棕色络纱手帕，其轻薄程度相当于现代的真丝。这说明当时楚国在纺织生产上已经具有精湛的技巧。江陵马山 1 号墓出土的衣物中，绢的数量最多，计 55 件。其中枕套的绢面经纬密度最大，为每平方厘米 164×66 根，超过了长沙马王堆汉墓所出土的绢的经纬度。

最能反映当时丝织技术水平的织物是锦。在古代具有尊贵身份的人才能享用锦衣、锦衾和锦帽。锦的提花技术是相当复杂的。织造时，按设计的图案用提花技术控制经线的沉浮，织出花纹，花纹越大，技术也越复杂。江陵马山 1 号楚墓出土的锦最多，不同花纹的就有十余种，充分说明当时已有了先进的提花织机和熟练的织造技术。

楚墓出土的刺绣品纹样精美，色彩鲜艳，对称平衡，线条流畅自然，给人以富丽堂皇、端庄典雅的美感。图案充满神话色彩，鲜明地反映了楚文化浪漫主义的特色。

楚地巫风炽盛，好淫祀，荒远之世的情感，在他们身上没有褪尽，人类童年的心在他们的诗歌和漆器艺术上必有发挥。楚国漆器所表现出的特征与《离骚》的积极浪漫主义精神相互映衬。如果说《楚辞》是楚文学的代表作品，那么楚国漆器就是楚考古文化的经典。

漆器并非楚人独有，但唯其使人瞻仰，无论是观其形还是品其意，无不使人叹为观止。楚国漆器，可以说，每一件都是精美的艺术品。

铜是人类最早使用的金属之一。我国历史上的商代及西周是以青铜文化为主要特征的时期，青铜冶铸业曾达到很高的水平，历史学家们将这一时期称之为“青铜时代”。楚文化，是我国青铜时代的一种区域文化，青铜文化为楚文化的重要组成部分。

鼎居青铜礼器之首。楚国的鼎与其他各个区域文化的鼎相比，有成熟的、富于个性的形态特征，称为“楚式鼎”。在楚式鼎的造型系列中，有两种具有代表性的，即升鼎和于鼎。这两种鼎从春秋中晚期开始到战国晚期在楚国一直都很流行。升鼎因这种鼎上铭文“升鼎”而得名，其特征是束腰和平底。最有代表性的是河南淅川下寺出土的王子午升鼎。这种风格的鼎为楚国所独有，一般在高级贵族墓葬中发现，为楚国贵族身份的标志。“楚王好细腰，国中多饿人”，楚人审美中对细腰的喜爱，反映到青铜礼器的铸造上就是束腰升鼎的产生。

先秦时期，礼乐文化为社会文化的核心内容。这表现在青铜器上，即青铜礼器的出现。楚国青铜乐器最具代表性的是钟。乐器中楚人最爱钟，并视之为国家权力的象征。楚钟不仅音色绝佳，而且造型独特，甬钟、钮钟等都有从大到小不可颠倒的组合顺序，因而称为编钟。编钟是楚国音乐艺术的杰出代表。其中尤以曾侯乙编钟举世闻名，复制演奏，令世人耳目一新，为我国音乐文化大增光彩。

战国时代，随着铁器的长足发展以及社会的大变革，青铜礼乐器逐渐衰落，青铜的运用开始由礼乐文化转向世俗生活。楚人开始大量使用青铜制造的日常生活用品。楚人制造的最成功的铜器当数铜镜和带钩。楚国铜镜独具特色，称为“楚镜”或“楚式镜”。楚镜以其类型和数量众多而远胜于其他地区。据统计，出土的楚镜总数已达1000面左右，其数量远胜于在中原地区出土的铜镜。湖南长沙是当时楚国的制镜中心，其次则是安徽寿县和湖北江陵。

作为楚文化组成部分之一的科学技术，在楚国的早期阶段已有了发展。楚国科技发达的领域主要是农业生产技术、青铜冶铸技术和天文学等方面。尤其是天文学方面，楚人甘德和唐昧是当时著名的天文学家，甘德曾观测到木星的卫星小赤星，这个发现比意大利物理学家伽利略和德国天文学家麦依耳早了近两千年。1973 年，长沙马王堆 3 号汉墓出土了一部《天文星象杂占》帛书，系战国时楚人所著。帛书画有 29 幅名称、形状不同的彗星，是迄今世界上最早的关于详细描绘彗星不同形状的图，无疑是一份极其珍贵的天文学研究资料。楚人在数学方面也取得了非凡的成就。1984 年在江陵张家山 247 号汉墓中出土的《算数书》是我国数学史上也是世界数学史上惊人的发现，它把我国数学的成书年代提前了三百多年。其内容和书写体例，都与迟于它约三个世纪的我国古代数学名著《九章算术》相近。因此，它可能是《九章算术》的母体。

20 世纪 30—40 年代，安徽省寿县和湖南省长沙的楚墓先后出土了著名的“楚帛书”等重要文物资料。这当时在学术界形成了研讨热点。尤其是楚帛书流落到美国后，其研究也逐渐国际化，促进和掀起了国内外帛书研讨热潮，并为中国史研究走出疑古时代提供了帮助。

特别是新中国成立以来，大量楚国文献和文字材料出土。楚简批数多，数量大，居全国先秦简牍之冠。迄今为止已发现三十余批，其中已产生较大影响的有长沙仰天湖（M25）楚简、信阳长台观（M1）楚简、荆门包山（M2）楚简、荆门郭店（M1）楚简和上海博物馆馆藏楚简。尤其是郭店楚简，资料一发表，就引起强烈反响。

物质文化是楚文化的重要载体，而楚人所创造出来的精神文化，则长期影响中国、影响世界。

楚国社会是直接从原始社会中孕育出来的，所以在楚人的精神世界中，保留了许多氏族社会的遗风。当中原的理性精神逐渐突破鬼神迷信的束缚之时，楚人仍沉浸在原始宗教的狂热之中。《汉书·地理志》记载：“楚人信巫鬼，重淫祀。”巫是在宗教祭祀活动中充当人神中介的神职人员。古代巫者知识面较广，又多迷信，兼能驱疾，因而又有“巫医”的身份，楚人有民谚曰："人而无恒，不可以作巫医。"楚人崇巫，巫者的地位较高。巫不是人人都可担当的。祭祀和卜筮是巫觋沟通人神的主要手段。

春秋时期的楚国，一方面鬼巫之风长盛不衰，另一方面理性精神与朴素唯物主义思想逐渐发展，在这一历史背景下，春秋末，楚国出现了一位杰出的宗教思想理论家观射父。观射父既参与国事，又通晓宗教礼仪。他所提出的"民神不杂"、"民神异业"，在当时来讲，实为宝贵。

就其内涵而言，楚国的巫文化包括多神崇拜、各种巫术、飞升成仙等内容。它不仅渗透到楚国文学艺术等诸多层面，而且对后世宗教信仰影响深刻。

楚地的神仙观及其各种巫术，都是后世道教神仙观和道教法术的重要来源。道家学说亦是楚文化的特色内容。道家学说，渊源于晚商时代的楚君鬻熊，而成熟的道家哲学思想代表则是春秋晚期的老子和文子。文子是老子的学生，楚平王的大臣，他的思想对楚国朝政产生过重要影响。战国中期以后，道家分化为两大派系：即老庄学派和黄老学派。

道家思想博大精深，在先秦各家学派中最富哲学内涵，对后世影响极为深远。汉初，黄老之学作为"君人南面之术"，清静无为，与民休息，治理战争创伤，使天下殷富，社会获得稳定发展。东汉以后，道教兴起，道家学说成为道教的理论基础。老子被奉为教主，称为"太上老君"，其书《老子》被奉为圣典，称之为《道德真经》。后来，文子、庄子也分别被尊为"通玄真人"、"南华真人"，其著作《文子》、《庄子》也被视作"真经"，列入道藏。魏晋时代，玄学兴起，玄学以老庄道家的无为学说为本，探讨纲常名教与自然的关系，最终使汉末陷入危机的名教重新焕发活力。唐初，李氏帝王出于巩固统治的需要，信奉道教，尊老子为"太上玄元皇帝"，使老子的地位达到了登峰造极的地步。儒、释、道三教长期合流兼容，老庄思想对佛、儒二家产生过重大影响。宋代理学开创者周敦颐的"自无极而太极"的理论，就来源于道家的"有生于无”、“复归无极”（《老子》）。老庄道家学说几乎在历史进程的每一个阶段都能引起思想共鸣。晚清民国初年，受社会危机与西方思想的影响，一些文人志士如谭嗣同、严复等，重新审视老庄文本，并从中发掘“民主”、“自由”的思想，再度将道家学说视为匡世安邦的理论。当今世界提倡返璞归真，回归自然，遵从自然规律，加强环境保护，道家“天人合一”的整体观念以及“无为而无不为”等思想，不仅在国人中，而且在世界上都引起了更加强烈的共鸣。

在中国先秦文学史上，楚国文学占据半壁江山。楚国的诗歌源远流长，至战国中后期，大诗人屈原创造出一种新的骚体诗歌——楚辞。《离骚》是屈原的代表作品，全诗两千四百多字，是我国古典文学中最长的抒情诗。全诗洋溢着诗人为崇高理想而奋斗的奉献精神，真挚执著的念祖爱国、忠君恋乡的爱国主义感情，也表现了不畏邪恶势力、刚正不阿的高尚品格。《离骚》在艺术上也具有独特的风格，主要表现在采用夸张手法与比兴手法，是积极现实主义与浪漫主义高度结合的杰作。由于它开创了楚辞创作的新途径，奠定了楚辞的历史地位，故后人称楚辞为“骚”，称屈原诗歌为“屈骚”。

宋玉是战国时楚国著名的文学家，曾师事屈原，通晓音律，雅好辞章，具有很高的文学造诣。宋玉是屈原艺术的优秀继承者，在赋的发展史上具有首创地位。唐勒、景差是与宋玉同时以赋见称于战国晚期的楚国文坛作家，但两人的作品都未能流传下来。1972 年，考古学家在出土的简文中发现了唐勒的赋作残篇，使人得以大致了解唐勒的创作情况和文学地位。

楚文学是源远流长的中国文学的重要组成部分，反映了先秦时期中国文学创作所取得的最高成就，开创了中国浪漫主义文学的先河，在文艺思想、创作精神、表现手法、体裁形式、修辞技巧等各方面都对后世文学创作有着巨大而深远的影响。

历代文人学者几乎没有不读楚辞，不受屈作楚辞影响的。他们追慕屈原，模拟屈作楚辞，宋玉、景差开其端绪，入西汉而形成热潮。汉代模拟屈作楚辞的作品甚多，王逸《楚辞章句》所见 11 篇，如郑振铎先生所言，“不过百中取一而已”。汉代以后仿屈作者较多，唐代柳宗元“为骚文（楚辞）数十篇”；清初王夫之还将自己仿屈作的《九昭》收入其所撰《楚辞通释》一书中，尤为典型。鲁迅曾高度评价楚辞：“其影响于后来之文章，乃甚或在《三百篇》(《诗经》) 以上。”

楚民族风俗独树一帜。楚人尚赤，建筑、服饰、器物均以赤为贵。各地楚墓出土的黑底朱彩漆器就是例证。楚人尚东，生之坐向、死之墓向均以东为荣；与周人的面南背北、头北脚南迥然不同。楚人尚左，也与周俗尚右不同。楚人念祖、爱国、忠君比之周人更为突出，他们习惯于用原有地名命名新地，丹阳、郢数次迁移不改其名就是为了缅怀先祖。由于楚人历尽艰辛而建国称霸，民族自豪感和民族自尊心异常强烈，钟仪南冠面晋，南音不改，屈原成为第一个伟大的爱国诗人都是典型的例子。

楚国历经八百余年的发展，由僻处江汉一隅，到拥有中国半壁河山；从筚路蓝缕、常处草莽，到问鼎中原、饮马黄河，不断地发展壮大，成为天下强国。楚国不仅位列“春秋五霸”、“战国七雄”，而且创造了特色鲜明、内涵丰富的楚文化，有的影响至今。

结　语

楚虽三户，亡秦必楚

统一是战国时代的发展趋向，吞并六国，统一天下，只能由秦人去完成，这是历史的选择。秦国的政治体制不讲仁爱，秦国的行为方式不讲道义，这些在武力统一天下时，可以说是发挥了优势与价值，但当他们坐在宫廷里治理天下时，这些却又成了他们政权的巨大隐患，甚至可以说是秦皇朝政权覆灭的利剑。

为了彻底灭楚并巩固统治，秦皇朝试图摧毁楚文化而推行秦文化，以文化高压的政策对楚地实施新的统治与管理。当大将白起攻破楚国都城后，第一件事就是焚烧、盗掘楚先王陵墓。这样做的目的，一方面是掠夺财富。我们从考古发掘可以推测，仅为楚国一个小小的附属国管理者的曾侯乙墓中就出土了大量精美而珍贵的文物，可想而知楚先王的陵墓中所埋藏的财富是何等壮观。另一方面，也是更为深层的原因是，秦皇朝欲借此彻底摧毁楚人的民族意识和国家意识，使之永远跟随秦皇朝，丧失复仇的欲望和信念。第二件事就是疯狂掠夺楚国都城的财富和劳动力，破坏楚人赖以生存的国都，让楚人永远失去国家的中心和民族的核心之载体。第三件事就是秦皇朝在楚地实行严酷的法律，试图奴化楚人的信仰和意念。考古发掘的云梦睡虎地秦简，反映了江汉楚地在秦人统治下的社会制度和生活。云梦秦简的内容很丰富，但秦律占了一半的分量。而且，与甘肃放马滩秦简内容相比，云梦秦简所反映出来的法律似乎更加苛刻、严酷。秦皇朝不仅在故楚地进行经济掠夺，还不断进行奴化教育，实施土地国有和奴隶制度。为了让故楚之民彻底秦化，秦统治者在江汉地区除了实行秦的制度文化外，还强制推行秦的风俗文化，严令故楚之民弃绝楚文化习俗而完全服膺秦文化习俗。文化习俗是文化传统的直接反映，是文化心理的外在表现。保持原有的文化习俗，也就是保持自己民族和国家的文化传统和文化心理，以及拥有文化自信。秦皇朝统治者深知，如果不能从文化心理和文化自信上彻底覆灭楚人的文化传统，那么秦皇朝在楚地的统治就不会稳固。但消灭一个民族或一个国家的文化心理和文化自信，首要的是另一种更加优越的文化，这种文化要更加符合人类历史的发展要求，否则仅为徒劳而已。

事实表明，楚人不但没有放弃自己的文化传统，而且更加坚守自己的民族文化之信念，表现出捍卫楚文化传统的决心。这也反映出楚文化的积淀之深、生命力之顽强、魅力之久远。甚至出现在楚地的秦皇朝管理者，也一定程度上被楚化。迄今为止在湖北境内发掘的上百座秦墓，虽然在丧葬制度和埋藏器物方面具有明显的秦文化特征，但同时也存在一些楚文化的因素。这表明，秦人不仅没能以秦文化取代楚文化，而且他们入乡随俗地吸收了先进的楚文化，深受楚文化熏染。关中的秦本土文化，也因大量楚人和楚国财物被掠夺到秦地，而受到楚文化的强力影响。秦相吕不韦召集一批宾客编纂的《吕氏春秋》，其思想主旨就是黄老道家思想，这也是秦人受到楚文化影响的一个典型例证。

在秦皇朝短暂的统治当中，楚人从未放弃抵抗，始终在坚守自己的民族文化传统和国家复兴观念。

没过几年，由于秦皇朝的暴政，楚人陈胜、吴广聚众起事，掀起了反秦的浪潮。历史就是这样巧妙，戍守渔阳而延误期限，面临被处死的一个小团伙，他们的领队陈胜、吴广竟是楚人。

继陈胜、吴广之后，迅速聚集力量反秦的项羽，还是楚人。与项羽同时起兵，最后大败项羽，建立西汉皇朝的汉高祖刘邦，同样是楚人。汉朝之所以称汉朝，是因为项羽把刘邦封在汉中和巴蜀，为汉王。刘邦即位后不改以前的国号，所以就称西汉皇朝了。究其实，西汉皇朝依然是楚人建立的。

公元前210年，秦始皇南游楚地。当这支队伍浩浩荡荡地来到浙江一带时，其周围的人群中出现了两个身影，他们是正在吴中（今浙江湖州）避难的项梁与项羽。项梁乃原楚国大将项燕的儿子，项羽是项梁的侄子。楚国灭亡后，项氏家族惨遭屠杀。10岁的项羽和弟弟项庄跟随叔父项梁流亡他乡。

当年轻的项羽看到秦始皇时，说了这么一句话："我一定会取代你的，等着瞧吧。"或许这只是反映了一个年轻人的野心或狂妄，但因为他的身份是楚人后裔，所以这样的野心与狂妄就深深刻上了楚人复兴的烙印。秦二世元年（公元前209年），项羽随叔父项梁在吴中刺杀太守而举兵响应陈胜、吴广的反秦运动，率江东八千子弟起兵反秦，与刘邦兵分两路进取关中灭秦。

项羽是反秦联军的统帅，在攻入咸阳灭秦之后，他开始制度建设，但他并没有继续秦皇朝的郡县制度，而是实施西周以来的分封制，于是他分封了十八路诸侯。在这十八路诸侯中，他自称"西楚霸王"，刘邦为"汉王"。这正应了谶语"楚虽三户，亡秦必楚"。

楚虽三户，亡秦必楚，这或许是楚文化生命力旺盛的一个象征吧。

虽然之后所进行的楚汉之争，以项羽的失败、刘邦的胜利而告终，但项羽所坚守的西楚文化却成为历史上的一道独特风景。粗犷豪迈的文化风格，不屈不挠的文化精神，铸就了一代枭雄西楚霸王。说项羽是西楚文化的精灵，一点不为过。他敢于杀怀王、诛强族、破釜沉舟、傲视群雄、横行天下；鸿门一宴送走了江山，羞见江东父老而自刎乌江。他的这种志气、勇气，还有可爱的霸气，为楚文化增添了异彩。汉高祖的祠庙在东汉末年以后就没有了，但霸王祠、乌江亭却历经两千年而不绝于世，屡有重建。这不仅是悲剧的力量，更是人格的力量、文化的魅力。当今，《霸王别姬》剧目已成为中华民族的文化精品而备受世界关注和传颂。

楚文化并没有随着西楚霸王项羽的失败而消亡，汉高祖刘邦建立大汉皇朝，特别是西汉前期楚文化的影响深远而广泛。当刘邦邀请群臣在洛阳南宫饮酒聚议汉皇朝的天下为何取得、夺取天下后又如何治理时，大家提出了各自的想法，有的建议实施严密的法律制度，有的建议推行休养生息政策,等等。而其中一个叫陆贾的人,向刘邦说出了惊人的语录："可以马上得天下，但不可马上治天下"。刘邦听后很高兴，立即让陆贾搜集资料，总结秦亡汉兴和如何治理天下的经验和策略。刘邦之所以能得天下，与他善于发现和使用人才紧密相关。

陆贾是楚人，后成为刘邦的得力助手。他所著的《新语》一书，提出"逆取而顺守之，文武并用，长久之术也"这一治国策略。当陆贾把自己所撰述的内容一篇一篇地向刘邦陈述时，刘邦高兴得拍手叫好，下面跪拜的大臣们连呼"万岁、万万岁"。这种顺乎自然的为政思想就是来自于楚文化。

楚人的尊天道而重自然、尚阴柔而贵无为、明变化而保本性的思想，经老子、庄子的提炼、发展，到汉初陆贾、贾谊、刘安等人不遗余力地宣扬成为治国安民之术。汉初盛行一世的黄老思想，有的人认为这是来源于齐文化，但楚文化的影响也起到了很大的作用，甚至是最早的来源。

秦统一天下，唯楚人不服。据史书记载："盖秦灭六国，四方怨恨，而楚尤发愤，誓虽三户，必亡秦。于是江湖激昂之士，遂以楚声为尚。"秦末反秦运动中以"楚"为号召，陈胜初建政权叫"张楚"，陈胜自立为楚王，"张楚"就是"张大楚国"的意思。项羽称"西楚霸王"，刘邦、项羽队伍的核心多数是楚人。汉初的君臣以楚人为主干，汉皇朝的建立，虽然在制度上"承秦制"，但在思想统治和文学艺术方面，则更多地承袭楚文化，形成了汉楚文化。

刘邦在夺取天下后，一次回乡探亲，喝得兴致正高时，教故乡的孩子们唱起了家乡歌曲：“大风起兮云飞扬，威加海内兮归故乡，安得猛士兮守四方。”这是一首脍炙人口的楚歌、楚诗，即所言的《大风歌》。刘邦一边唱，一边跳起楚舞。作为一国之君，他的这一垂范，想必会使楚文化之艺术部分得到广泛传播和传承。这样，楚辞体诗歌继续保持着它的旺盛生命力。汉武帝的《秋风辞》以及专为乌孙公主作的《悲愁歌》，李陵为苏武作的《别歌》，都是楚辞体。可见楚辞体这一文学形式，对汉文化的影响。可以说，汉代辞赋是从楚辞中发展起来的一种文学形式。

与楚歌相应的是楚舞，这在汉代也有很大影响。楚人崇尚巫祀，在祭祀仪式和盛大庆典中，都会跳楚舞，抒发他们心中的激情。浪漫主义是楚文化的一大特色。关于楚舞，根据出土资料和文献记载，有两个大的特征：其一是袖长，体现楚舞飘逸的风格，给人以飘洒的美感；其二是体弯，即对舞者身体素质的要求，楚人好细腰，就说明了这一点，这是楚人的审美观，因为自由纤细的腰肢，才能舞出秀美的风韵，体现一种浪漫的遐思。如刘邦宠幸的戚夫人，就善为翘袖折腰之舞，出土的很多汉初画像石、画像砖等都有所体现。所以说，汉武帝之前流行的歌舞，都是楚歌楚舞。

楚文化典型的特征之一，就是巫术宗教色彩浓厚。楚人信奉的诸神形形色色，有楚人自己的神，如风伯、雨伯，及山、水、日、月等，也有来自北方诸夏之神，如轩辕等；还有南方夷狄之神，如女娲、湘君、湘夫人等。楚人崇巫信神和其他民族不同，在楚人心中，神、鬼、人是融为一体的。屈原的《山鬼》，就刻画了一个机智、美丽、善良的女鬼；《楚辞·湘夫人》展现了一位思慕郎君的多情女神。这都和楚人的性格有关系，他们豪迈奔放，无拘无束，想象力丰富，体现浓厚的浪漫主义色彩。这些文化因素在汉初，甚至汉武帝时期，影响很大。汉代崇巫好祠之风在长沙马王堆汉墓出土的帛画和其他一些发掘出土的画像石等文物上，表现得非常突出。

两汉时期是中华民族文化大发展时期，这一发展是对先秦以来文化的总结和提升，也为之后两千多年的华夏文化奠定了坚实基础。而内涵丰富、绚丽多彩、浪漫辉煌的楚文化，则是其坚固的基石。它经过汉代的继承、融合、丰富和发展，铸就了中华文化主源的重要部分，并因此使得中华文化更加灿烂辉煌、斑斓夺目。

参考书目

1. 张正明:《楚史》，湖北教育出版社，1995 年。

2. 罗运环:《楚国八百年》，武汉大学出版社，1992 年。

3. 冯知明:《楚国往事》，凤凰出版社，2009 年。

4. 魏昌:《楚国历史文化读本》，湖北人民出版社，2011 年。

5. 黄德馨:《楚国史话》，华中工学院出版社，1983 年。

图书在版编目（CIP）数据

楚史传奇 / 司皓君，靳宝著. —北京：中国国际广播出版社，2014.6
（北望长安系列丛书）
ISBN 978-7-5078-3543-4

Ⅰ. ①楚… Ⅱ. ①司…②靳… Ⅲ. ①楚文化—研究
Ⅳ. ①K871.414

中国版本图书馆CIP数据核字（2014）第079523号

楚史传奇

著　　者	司皓君　靳　宝
责任编辑	赵　晶
版式设计	国广设计室
责任校对	徐秀英
出版发行	中国国际广播出版社（83139469　83139489[传真]）
社　　址	北京复兴门外大街2号（国家广电总局内）
	邮编：100866
网　　址	www.chirp.com.cn
经　　销	新华书店
印　　刷	环球印刷（北京）有限公司
开　　本	710×1000　1/16
字　　数	140千字
印　　张	13
版　　次	2014 年 6 月　北京第一版
印　　次	2014 年 6 月　第一次印刷
书　　号	ISBN 978-7-5078-3543-4 / K · 251
定　　价	28.00 元

CRI 中国国际广播出版社
欢迎关注本社新浪官方微博
官方网站 www.chirp.cn